JN018116

MANUFACTURING PLATFORM

製造業プラットフォーム戦略

野村総合研究所
小宮昌人
Masahito Komiya

日経BP

はじめに――製造業復活のカギを握る「ものづくりプラットフォーム戦略」

新興国企業の成長にともない、日本の製造業企業が生み出す最終製品は、これまでにない厳しい低価格競争に巻き込まれ、苦戦を強いられている。グローバル市場における日本製品の存在感は、急速に薄れていっているのが現状である。

その一方で、日本企業が長年培ってきた「ものづくり現場のノウハウ・技術」は、いまだにその競争力を失ってはいない。こうしたノウハウ・技術は、デジタルテクノロジーやアウトソーサーを活用するだけでは、容易にキャッチアップすることができないからだ。

往時の輝きを失いつつある日本の製造業が復活するためには、これまでこだわり抜いてきた「技術力」「現場ノウハウ」といった暗黙知を、デジタル技術によって磨き上げ、新たな商材として競争力の源泉とすべきである――これが本書の主張である。

本書では、日本の製造業が強みを活かしてグローバルで競争力を発揮していくためのアプローチとして、「ものづくりプラットフォーム戦略」を提示したい。これは、製品・サービスのみで勝負するのではなく、ものづくりで培った技術・ノウハウを、他社のものづくり企業を支えるプラットフォームとして展開していく新たなビジネスモデルである。

デジタルツインを活用した製造ライン、「巧」の技術力を提供する熟練工IoT、外部企業を接続する「デジタル・ケイレツ」……先進企業は単なる「モノ売り」から脱し、新たな企業体へと変革を遂げている。

本書の前半においては、グローバルで起こっている変化や、日本製造業の危機について触れ、そのうえでなぜ「ものづくりプラットフォーム」が求められているのか、日本としてどのような強みが発揮できるのかについて解説する。本書の中盤以降では、先進企業の取り組みをくわしく分析。読者のみなさんが実践するうえで検討しなければならない論点とともに具体的に紹介していきたい。

本書が日本の製造業の新たなビジネスモデルの検討や、競争力向上に向けた取り組みのきっかけになれば幸いである。

CONTENTS

第1章 日本の製造業は、世界のロールモデルではなくなった

第2章 インダストリー4.0とデジタルツイン革命がもたらすもの

CONTENTS

第6章

パターン③

ネットワークとケイレツノウハウを売る

第7章

パターン④

工程・現場の熟練ノウハウ・技術を売る

第8章 パターン⑤ 製造能力を売る

第9章 アクション① 新規ソリューションを生み出す企業・組織になる

第10章 アクション② 競争力のあるソリューションを生み・展開する

第1章

日本の製造業は、世界のロールモデルではなくなった

1 ものづくり先端の国ではなくなった日本

「日本の製造業は、もはや世界のロールモデルではない」――こう聞くと違和感を持つ方も多いかもしれない。日本のものづくりはかつて世界を席巻し、トヨタ生産方式をはじめ世界から研究され、ベンチマークされてきた対象であった。

その日本製造業は、デジタル化が進む現在で世界からどう見られているのだろうか。世界経済フォーラム（ＷＥＦ）が、製造業のロールモデルを意味するグローバルライトハウス（灯台）として、全世界から69工場を認定している。その中で日本の工場が認定されていない時期がしばらく続き、２０２０年にようやく国内２工場が認定されたのみ、という状況である。

２工場のうち1工場は、外資系企業のＧＥヘルスケアの工場であるため、国内の日系企業としては日立製作所の大みか工場しか認定されていないということになる。中国では他国を圧倒する21工場、米国では7工場、ドイツでは5工場、その他新興国合計で18工場が認定されており、２工場の日本との差は大きく開いている。

今まで日本は、ものづくりにおいて世界の先頭を走っていると考えられていた。しかし、

図表1●グローバルライトハウスの国別認定工場数（全69工場）

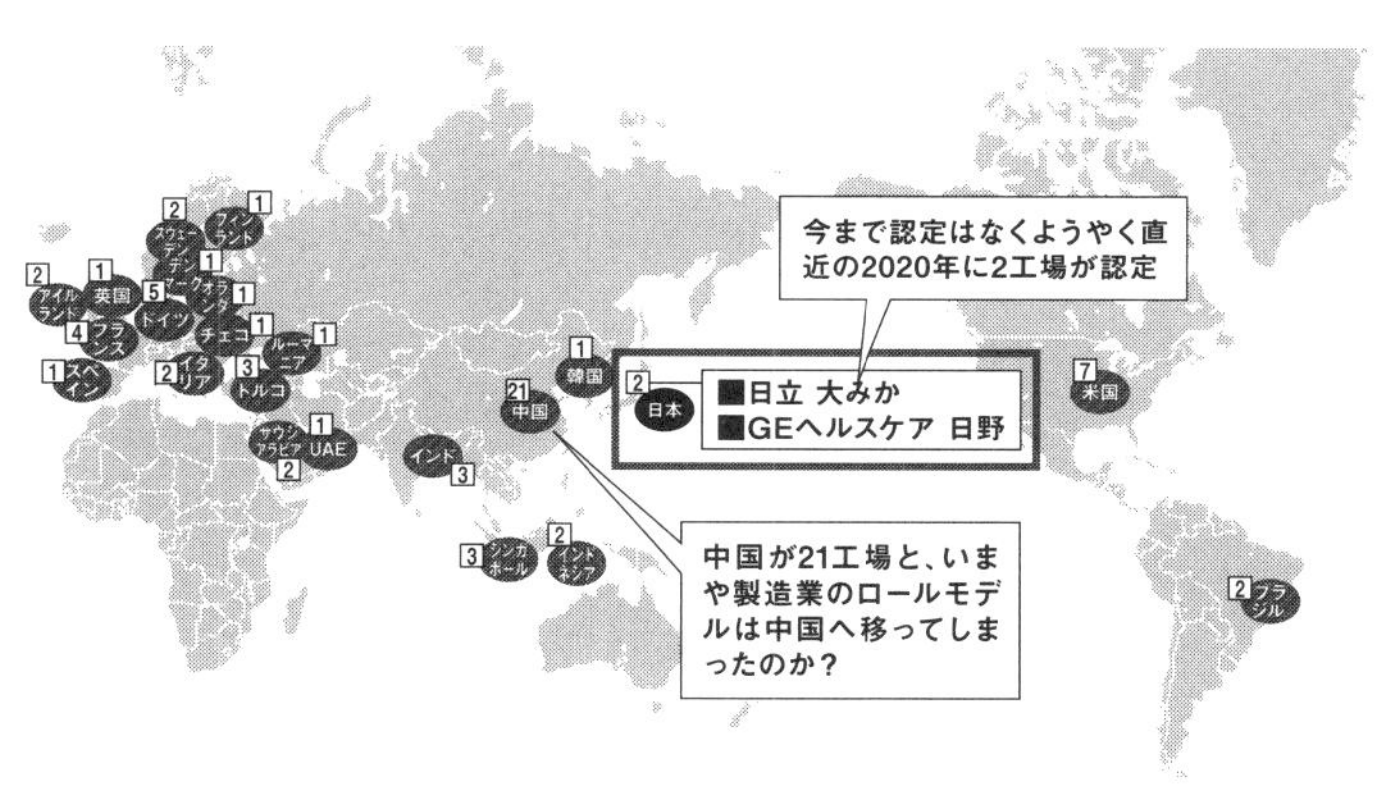

デジタル技術の進展に伴い、「灯台」の役割は新興国を含めた他国へ移ってしまったと見ることもできる。

もちろんＷＥＦが日本のすべての工場を見ているわけではないし、ＷＥＦに対するプロモーションにかける労力も、他国と日本では異なっていると想定され、この結果のみが工場の先端性を示しているものではない。しかし、グローバルな機関がロールモデルとして認定する企業のネットワークに日本企業が食い込めていないことは、世界のデジタル化の波の中で、日本がものづくり先進国としての位置づけを失いつつあることを端的に示していると言えるのではないだろうか。

2 日本の製造業が置かれている状況

新興国の台頭に苦戦

日本の製造業はかつて、特に自動車・エレクトロニクスなどの分野においてグローバルで圧倒的な競争力を有していた。その結果として、日本は各国から脅威として捉えられ、貿易摩擦の激化も招いてきた。日本のものづくりは徹底的に研究され、さまざまな国の企業で経営・オペレーションに取り入れられてきた。

1979年にはハーバード大学のエズラ・ヴォーゲル教授が『ジャパン・アズ・ナンバーワン』を著したほか、トヨタ生産方式の分析の結果としての「リーン生産方式」や、日本企業の品質管理の分析結果としての「シックスシグマ」などが体系化され、欧米の製造業に取り入れられた。日本はかつて製造業の先端を行くロールモデルと位置付けられていたのだ。

しかし、新興国の台頭により価格面ではもはや勝負ができなくなってきたが、ここ最近ではさらに品質面での強烈なキャッチアップに苦しんでいる。たとえば日本の屋台骨の自動車部品産業においては、いままで担ってきたＴｉｅｒ１サプライヤーのポジションを新興国のＥＭＳ企業（製造受託企業）に奪われるケースもでてきている。従来は部品メーカーが部品設計を自動車メーカーと共同で行い、それにあわせて自社工場のラインを設計し、製造して、できた製品を納入してきた。それらのプロセスをＥＭＳが代替するようになり、自動車メーカーが直接ＥＭＳに依頼し、ＥＭＳが製品開発・製造を担う「Ｔｉｅｒ１飛ばし」の構図も生まれてきたのである。

デジタル化とコモディティ化の波

これに加えて2つの環境変化が起こり、日本企業の相対的プレゼンスはさらに低下した。1点目が製造プロセスのデジタル化とグローバル展開の高速化だ。ドイツが提唱するインダストリー４・０（サイバーフィジカルシステムを通じた製造業の高度化）のコンセプトのもと、独・米・中などの企業は製造オペレーションを標準化し、デジタルによる制御・ノウハウ展開を図ることで、新興国をはじめとするグローバル展開を効率的に実施してきた。一方、日本企業はノウハウが属人的な部分が大きいため、海外展開では生産技術人員などを派遣して「人」を通じたノウハウ移転を行わなければならず、スピードの面で他国に大きな差をつけられてしまった。

2点目としては、ハードとしての製品がコモディティ化する中で、差別化の観点がプラットフォームを含むデジタルサービス・ソリューションへと移行し、製品としてのＱＣＤ（品質・コスト・納期）に強みを持ってきた日本企業が価値の転換に乗り遅れてしまったことが挙げられる。こうした動きの中で、トヨタ自動車などの一部の企業を除き、グローバルでの製造業としての競争に苦慮している企業は多い。

3 デジタル時代に残る日本のものづくりの強み

このように、日本の製造業の存在感が相対的に低下する中で、デジタル時代における競争戦略の見直しが必要となってくる。競争力が発揮しづらくなってきているものづくりのアウトプットとしての「製品」だけではなく、日本企業がものづくりの中で蓄積してきた現場の技術・ノウハウといった強みを展開していくことも一手となり得る。

今までこれらの技術・現場ノウハウは標準化が難しく、暗黙知・属人的なものとなってしまっていた。しかし、デジタル技術の進展によりこれらの技術・ノウハウを他社にも「見える」形で標準化することが可能になってきている。後ほど触れるＩｏＴや３Ｄセンシング、デジタルツインなどがその代表例である。これらを活かして日本の強みをデジタル時代の競争力に転換していくことが重要である。日本としては、①【こだわり抜いた現場の技術・ノウハウ】、②【すり合わせ型のオペレーション】がデジタル時代において強みとなり得る。それぞれについて触れたい。

こだわり抜いた現場の技術・ノウハウ

まず【①こだわり抜いた現場の技術・ノウハウ】である。日本の製造業は品質や技術にこだわりを持ち、一例ではあるが、次のような特徴から強さを構築してきた。

- 【開発】メーカー、部品メーカーが企業を超えて連携したすり合わせ開発
- 【開発】継続的な製品技術・品質の進化・カイゼン
- 【生産技術】自社内生産技術・工機部での先端ライン・工法開発
- 【生産技術】ヒトの能力を最大限発揮する自働化ライン
- 【サプライチェーン】ケイレツ内での企業を超えた連携、技術共有・生産性・品質指導を通じたケイレツ全体での競争力強化
- 【製造・サプライチェーン】ジャストインタイムによる在庫の極小化

・【製造】熟練技能工・巧の技による高品質な作業
・【製造】自律的なカイゼン活動、現場作業者一人ひとりの高い品質意識
・【組織横断】部門の垣根を越えて知見・問題意識を出し合い製品設計－ライン設計－製造－アフターサービスの各プロセスを実施

開発・設計、生産技術（ライン設計）、製造、品質保証までそれぞれ現場の人の能力を尊重・活用し、最大限発揮される仕組みが展開されてきたと言える。トップダウンで標準的に決められたものをこなすのではなく、各組織が自律的に考え、課題意識や知恵を出し合い、カイゼンしていく結果としてボトムアップで競争力を持ってきたのが日本のものづくりである。

日本企業は従来、プロジェクトの開始段階から、製品設計、生産技術、製造、品質保証、アフターサービスなど各部門が意見を出し合いプロジェクトを実施してきた。グローバルの先端企業はこれらのプロセスを、デジタルツールを徹底活用することで効率化を進めてきているが、従来は日本のものづくり企業が現場や人ベースで実現してきた強みである。

また、後ほど触れる3Dデジタルツインによるライン設計においても同様である。今まではは製品設計図面の解釈をベースに、生産技術部門の熟練エンジニアが経験にもとづいて

ラインを構想・設計し、現場の中で調整・カイゼンを繰り返すというプロセスであった。このプロセスをデジタルに置き換えているのが3D工場シミュレーターである。

このように、日本のものづくり企業が従来強みとして培っているオペレーションやプロセスが仕組み化・標準化されパッケージ展開されているのがデジタルツールと捉えられる面もあるのだ。言い換えれば、デジタル化の進展によってこれらツールのグローバルでの活用が拡大することによって、日本企業が現場・人において構築してきた強みが相対的に弱くなってきている、ということでもある。

今まで上記の日本の強さを支えてきたのは、現場における「人」であった。これら「人」に立脚した技術・現場ノウハウを成り立たせるのが難しくなってきている。熟練技能者が高齢化したり退職したりすることによって技能伝承が困難になっているとともに、働き方改革や、外国人も含めた多様な職場へと変化していく中で、個々の「人」の並々ならぬ努力やモチベーションを前提に置くことができなくなっているのだ。

重要なのはツールではなく、ノウハウとオペレーション

デジタル技術を通じた高度化において、重要なのはツール自体ではなく、そのツールに乗せるノウハウやオペレーションである。従来強みを持っている部分を、デジタルツール

の活用度合いの有無で競争力を失ってしまうのは非常にもったいないことである。

グローバルライトハウスや、シンガポール発で世界に拡大している企業成熟度評価指標であるスマートインダストリー準備指標（Smart Industry Readiness Index：後述）などをはじめ、デジタル時代における先端製造業・工場を評価する制度や基準には、項目名はそれぞれ異なるものの「デジタル技術活用による効率化」が必ず入っている。たとえ現場の技術力・ノウハウに強みを持っていたとしても、デジタルツールの活用で後れをとる日本の製造業は評価されづらい状況下にあるのだ。

日本企業としては、これらの既存デジタル技術を徹底活用していくことにより、従来日本の現場が蓄積してきた技術・ノウハウの強みを「デジタル時代の競争力・価値」へ転換していくことが重要である。

また現在では、デジタル技術の活用や、製造受託企業・ライン導入を支援するラインビルダーなどの外部企業を活用することにより、長年蓄積されたノウハウがなくとも誰でもある程度のものづくり（ここでは「80％のものづくり」とする）は外部からの〝買い物〟で実現できるようになっている。

これらの動きは、アップルのＥＶ参入にみられるような異業種によるものづくりへの新規参入や、中国を中心とした新興国メーカーの急速な拡大・技術向上の背景となっている。

こういった新規参入企業が加速度的に増えていく環境下で、日本の製造業としてどう戦っていくのかを検討しなければならない。

高い「20%の壁」

一方で、新たな課題や日本企業にとっての機会も生まれている。先述の80%のものづくりは誰もが「調達」で到達できるようになる中で、残り20%の重要性・価値が高まっているのだ。残り20%とは、日本企業がたとえば「コンマ秒単位」の生産性向上など限界までこだわってきた領域である。

日本企業は歴史的に試行錯誤しながら100%を目指す中で、技術・ノウハウを内部に蓄積してきている。一方で技術の調達で80%のものづくりを構築している企業にとっては、100%への残り「20%の壁」は高い。

たとえば米EV企業のテスラが工場設立後、生産技術面で苦労し、生産立ち上げまでに時間を要した件や、メイカーズと呼ばれる事業構想やコンセプトを基に開発委託会社（ESO）や製造受託会社（EMS）を活用して展開を図る企業が、しばしば品質問題を起こしてしまうケースが最たる例である。

後述する不動産財閥から自動車製造へと参入したベトナムのビンファストも、自動車メーカーの技術者の「ノウハウ」は補強が必要であり、副社長などの要職にGMの元トップエンジニアを登用している。

今後残りの20%をいかに積み上げるかの技術・ノウハウがグローバルで競争力を持つこととなる。たとえば、加工・溶接・マテリアルハンドリングなど、個別工程における熟練技能者の動きをIoTで分析し、ソリューション展開することや、日本企業がこだわって開発してきた工法やライン技術をパッケージ展開し、外販を行っていくことなどが方向性として考えられる。

こういった暗黙知となっている技術・ノウハウを可視化・標準化し、他社に価値を伝えるためには、デジタルツール活用が欠かせない。日本企業がデジタル化された技術・ノウハウを活かして新興メーカー・新興国企業を含む世界のものづくりをリードし支えていく存在となることが期待される。

「すり合わせ」型のオペレーション

先述の通り、日本企業は各部門がそれぞれのノウハウ・知見を出し合い、すり合わせの中で、各現場が自律的に「ボトムアップ」で最適化しものづくりを行ってきた。一方で欧米のものづくりは、設計や上流構想側で、ある程度ものづくりプロセスを、誰でもミスな

図表2●日本の生産技術・現場力のこだわりを世界に売っていく時代へ

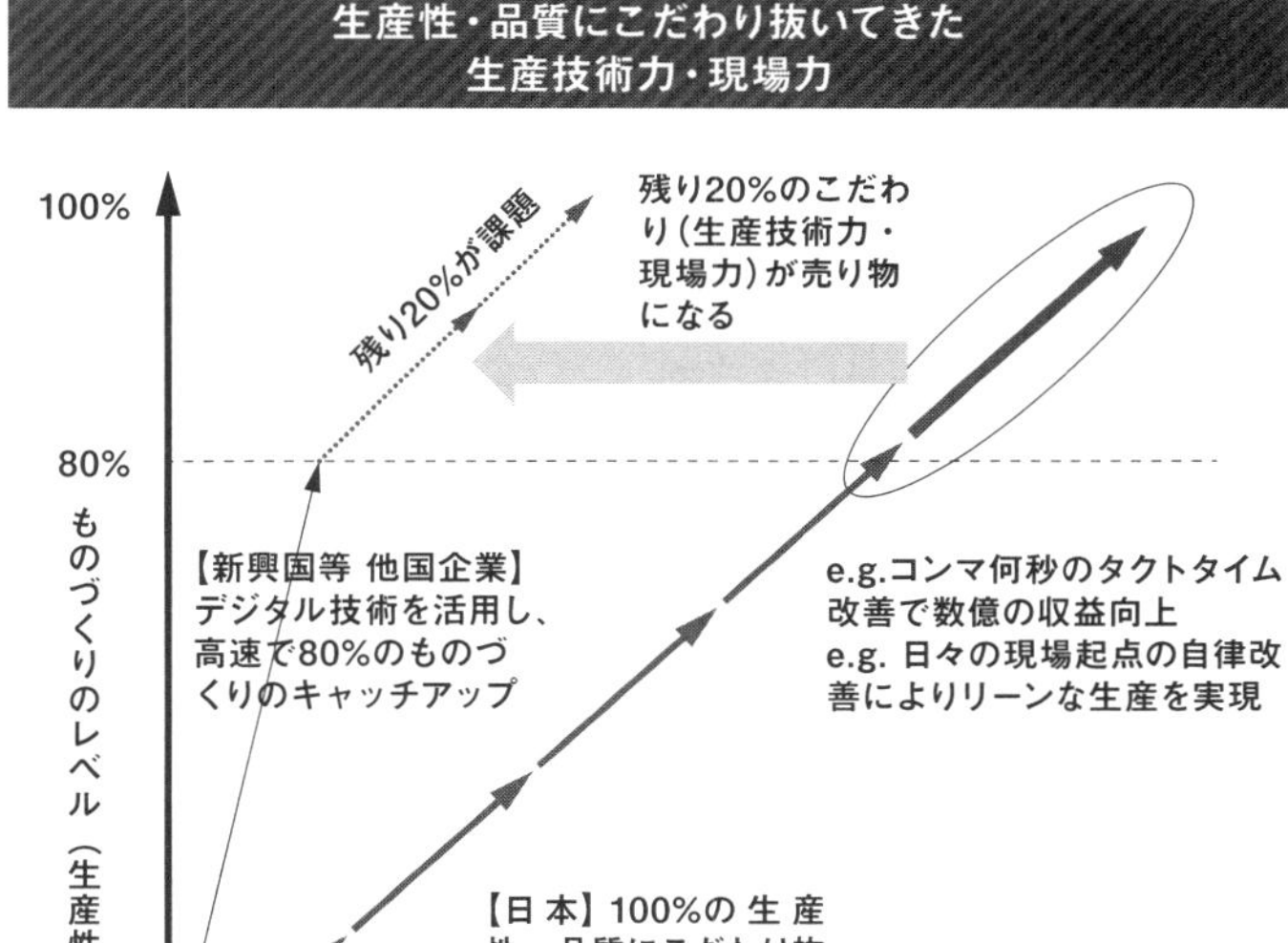

く行えるように規定・標準化してものづくりを行う「トップダウン」型と言える。これは日本が製造業を席捲していた時代に、日本企業へのベンチマークや対抗策検討の結果として整備されてきたものであり、その延長線上にインダストリー4・0が存在するのである。

製造業企業同様に、外部製造業向けにソリューションを提供する企業においても、欧米ではトップダウン型のアプローチがとられている。顧客に合わせてカスタマイズするというよりは、標準的なソフトウェアを提供し、その標準に向けて顧客側がオペレーションを合わせるというスタンスをとっているのだ。

欧米企業が「ソリューション提供者視点」で展開を行っている一方で、日本の製造業としては、製造業ユーザーとして実際に活用してきた技術・ノウハウを、顧客の目指しているものづくり経営・オペレーションの姿をもとに「ユーザー視点」で提案を行う素地を持っているのではないだろうか。

先日、ある東南アジアの財閥企業に対して、ものづくり関連のソリューションの欧米系と日本系の双方から提案があり、最終的にその財閥は日本企業をパートナーとして選んだ。その財閥が日本企業を選んだ理由に、日本の強みと展開のヒントが隠されていると考えている。

「ドイツ企業のソリューションは、ソリューションに合わせて業務を大きく変えなければ

図表3●現場視点・課題・オペレーションに沿ったアジャイルなSoI提案

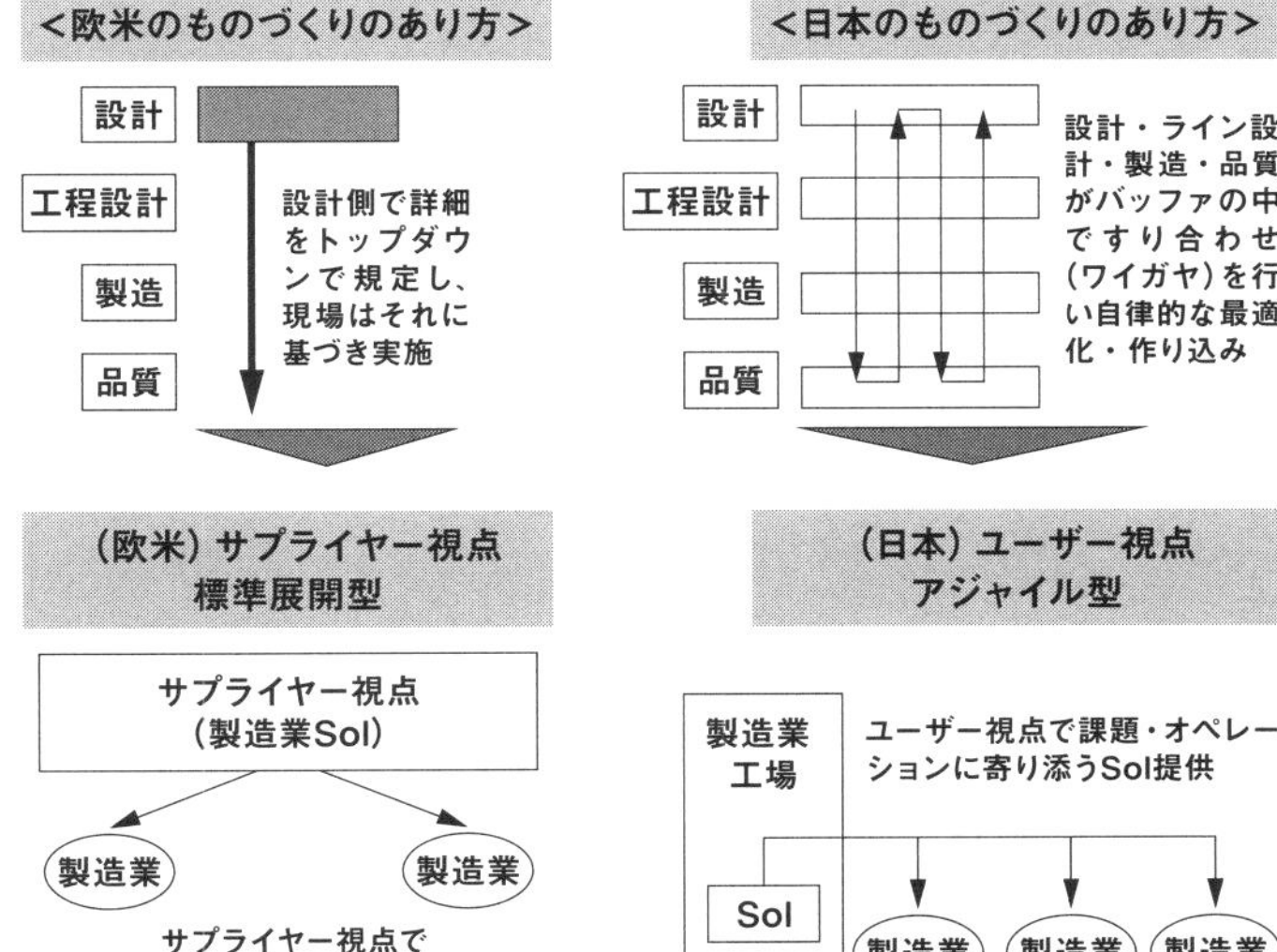

ならなかったが、日本のソリューションは今のオペレーションを踏まえたうえでの提案をしてもらえた」「現場のオペレーターの能力や意欲を高めてくれた」

日本のカスタマイズ志向については批判の的になることが多いが、それがすべて悪かというとそうではない。重要なのは、標準的に展開する部分と、顧客に合わせて柔軟に対応する部分の2層を振り分けることである。ユーザー視点を持っている日本だからこそ、製造業のオペレーションの現状や課題に即した提案ができると考える。

この視点をもとに、日本の製造業企業のものづくりプラットフォームとしての自社技術・ノウハウが競争力を構築することが期待される。

4 ものづくりプラットフォーム戦略のポテンシャル

今後の日本企業としては、アウトプットとしての製品だけではなく、デジタル技術を活用して日本の強みである「技術力」「現場ノウハウ」を展開する方向へ転換する必要がある。新興国をはじめノウハウを必要とする他社ものづくり企業を広く支える「ものづくりプラットフォーム」としての戦略を取ることが重要である。

本書で提示したい「ものづくりプラットフォーム戦略」は、製造業企業として大きく①製品設計力、②生産技術力、③ケイレツ・サプライチェーン、④工程・現場ノウハウ、⑤製造能力をデジタル技術を活用して展開し、他社のものづくりを支えるソリューションとして展開していくことを示している。

本書では、第2章においてものづくりプラットフォーム展開の前提となるものづくりのデジタル化による地殻変動の動向に簡単に触れたうえで、第3章において、なぜものづくりプラットフォームが求められるのかを整理する。

第4章からは、ものづくりプラットフォーム展開において具体的にどのような方向性があるのかに触れたい。提供する技術・ノウハウごとに、第4章が製品設計、第5章が生産技術、第6章がケイレツ・サプライチェーン、第7章が工程・現場ノウハウと製造能力を、それぞれ活かしたものづくりプラットフォーム展開を行う事例について述べる。

そのうえで第8章では、日本企業がものづくりプラットフォーム展開を行うにあたっての課題となる論点と、その対応の方向性について紹介したい。図表5が本書において触れるものづくりプラットフォームを展開している先行企業である。

図表4●ものづくりプラットフォーム戦略の構造

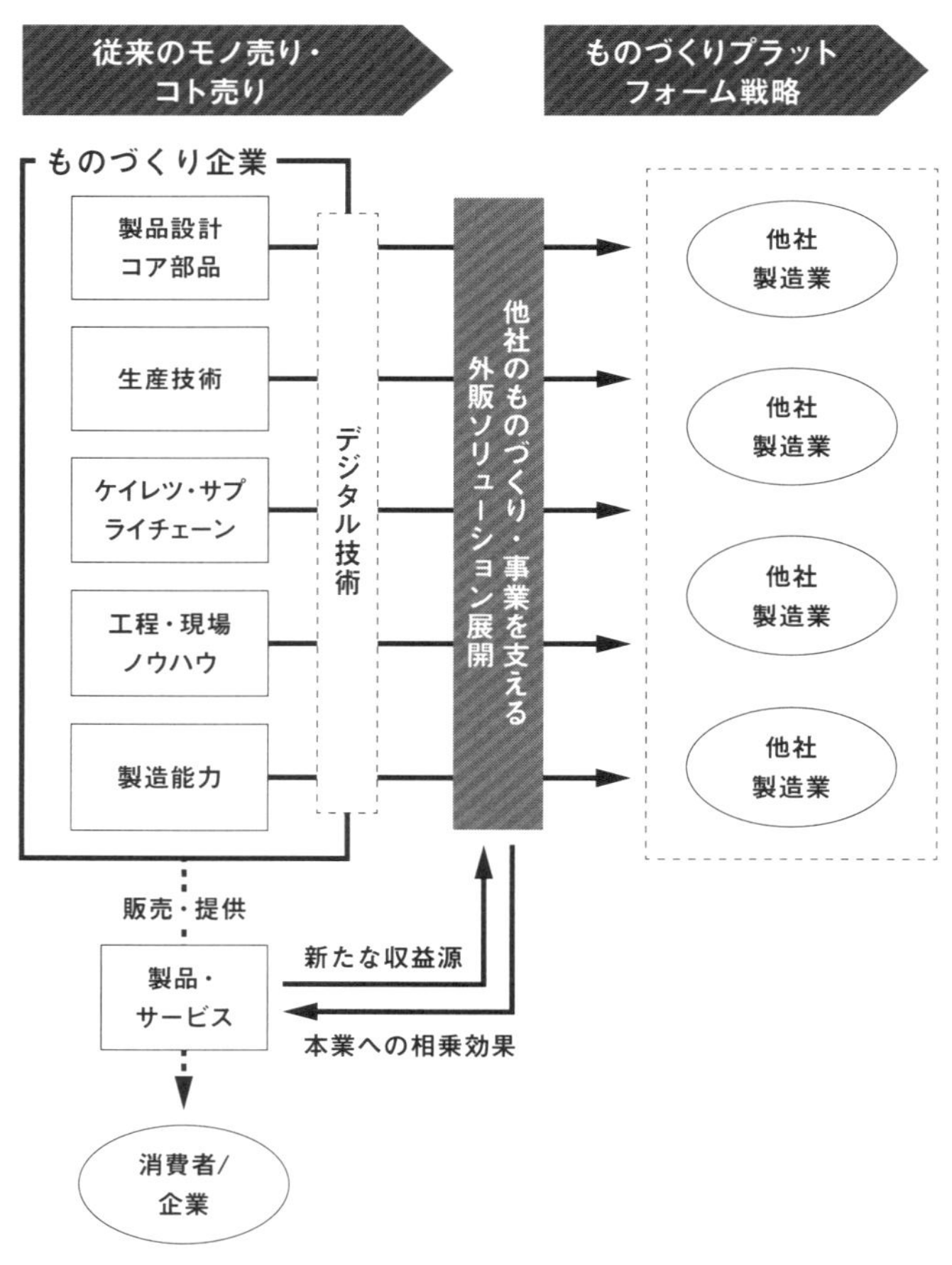

図表5●本書で紹介するものづくりプラットフォーム企業

何を売るのか	展開パターン	概要		企業例		
(1) 製品設計・コア部品技術	コンセプト・モジュールメイカー	設計・開発力を活かし製品コンセプト・コア部品を同業や他業界へ売る	1	トヨタ	ソニー	パナソニック
(2) 生産技術	ものづくり教育・コンサル	生産技術・ノウハウを活かしものづくり教育や、コンサルティングを展開	2	デンソー		
	ラインビルダー	生産技術力を活かし顧客製造業のライン設計・構築までを支援	3	日立製作所		
(3) ケイレツ・サプライチェーン	デジタルケイレツ	自社・サプライヤーをつなぐIoTの仕組みを展開し、サプライチェーン外にも展開	4	コニカミノルタ		
	生産シェアリングプラットフォーム	サプライヤー管理ノウハウを活かし生産シェアリング・マッチングを展開	5	日本特殊陶業		
(4) 工程/現場・業務ノウハウ	工程プラットフォーマー	各工程の熟練ノウハウをソフトウェア化・機器化し外販展開	6	武蔵精密工業		
			7	HILLTOP		
(5) 製造能力	コンサル型EMS	製造能力・設計能力を活かした、製品設計レベルから他社ものづくりを支援	8	VAIO		
	インキュベーション型ものづくりプラットフォーム	自社製造設備・能力を活用しスタートアップをインキュベーション	9	浜野製作所		

5 デジタル時代に即した「ものづくりプラットフォーム」のあり方

他社製造業を支え収益を得る「ものづくりプラットフォーム」と聞くと、ノウハウ流出やそれによる自社の競争力低下を危惧される方もいるかもしれない。今までの日本の製造業として連携先・合弁先の中国や新興国企業へノウハウ・技術移転を行った結果として彼らの競争力が上がり、日本企業としての相対的優位性が失われた部分も否定できない。しかし、今回「ものづくりプラットフォーム」展開を提示するにあたり、重要なポイントが2点存在する。

1点目は本書において繰り返し強調していくが、①コア・非コアの振り分けである。日本企業としてはすべてのノウハウを自社のコアと捉え、たとえば他社を入れず自前で技術開発を行うケースも多い。これを自社の競争力の源泉として秘匿とするノウハウ（競争領域）と、そうでないノウハウ（協調領域）とに分けて展開していく必要がある。

当然ながら前者を他社に提供してしまうと自社の競争力は失われてしまう。上記のノウハウ供与を通じた日本企業の競争力低下は、この振り分けができておらず、コアも含めて人や設備とともに流出してしまったことが大きい。何を競争力の源泉・コアとして守り、何を外販する部分として切り出すのか、さらには何を外部技術・企業を活用しリソースの効率化を図るのか、これらの振り分けの検討が重要である。

その上で2点目として、デジタル技術の進展の中でノウハウを展開するにあたって、流出を防ぐあり方が生まれてきている。図表6がその構造を示している。

従来、日本企業では設備や人に紐づく技術伝承が基本であった。日本から現地工場や、現地提携・合弁会社に技術者を派遣し、ていねいに現地人材を育成してきた。人を通じて技能移転が図られてきたのである。

その結果として技能移転に時間がかかるだけでなく、人材が育ったタイミングで退職する、ヘッドハントされて技術・ノウハウごと人が流出してしまう、ということが頻繁に起こっていた。

デジタル化の中で、この技術移転のあり方が変わってきている。製造オペレーションがデジタル化されることにより、その仕組みをマザー工場から海外工場などへコピーできるようになってきた。後述するドイツのインダストリー4・0の本質的目的の一つとして、ドイツ企業による新興国への効率的な展開があげられるが、まさにこの観点である。

これにより技術・ノウハウの移転をスピーディに行うことができる。さらに重要な点と

図表6●デジタル時代におけるノウハウ移転の考え方

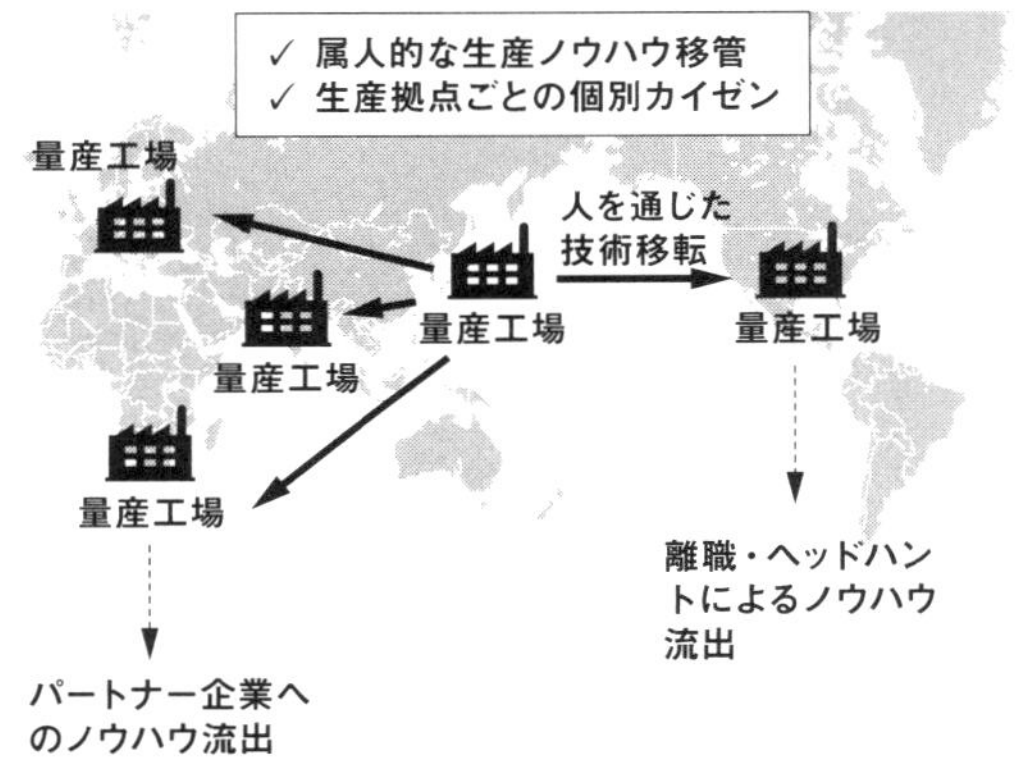

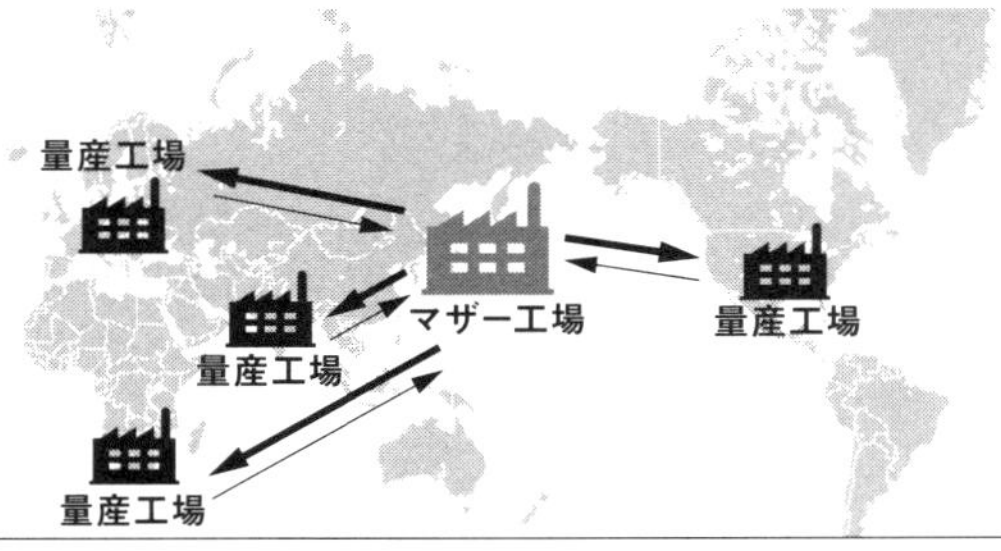

して、デジタル化によってオペレーションの結果はコピーできるが、そのノウハウの本質部分はブラックボックス化することができる、ということだ。

たとえば設備管理のノウハウをＩｏＴアプリケーションとして展開する際には、データをもとにした解析結果については現地企業にフィードバックされるが、なぜその解析結果になるのかの裏側の観点については本社側に残すことができる。日本企業としてこれらデジタル時代に即したものづくりプラットフォーム展開を行っていくことが重要である。

第2章

インダストリー4・0と デジタルツイン革命がもたらすもの

第2章・第3章においては、ものづくりプラットフォームが求められる前提となる製造業のデジタル化の変化に触れていきたい。まず本章においては大きく第4次産業革命（インダストリー4・0）や、製造業のデジタル化で起こっている変化に触れる。その上で第3章では、その結果として新興企業の登場や水平分業が加速し、ものづくりプラットフォームがより求められるようになってきている状況について触れる。

1 世界中で進むものづくりのデジタル化とインダストリー4・0

インダストリー4・0のインパクト

ものづくり・製造業におけるデジタル化が急速に進んだきっかけとしては、メルケル首相を中心にドイツの国家戦略として産学官の強力な連携で進められている「インダストリー4・0」の影響が大きい。インダストリー4・0とは第四次産業革命を意味し、2011年に連邦教育科学省と、学術シンクタンクのドイツ工学アカデミーが提示したコンセプ

図表7●第四次産業革命の定義

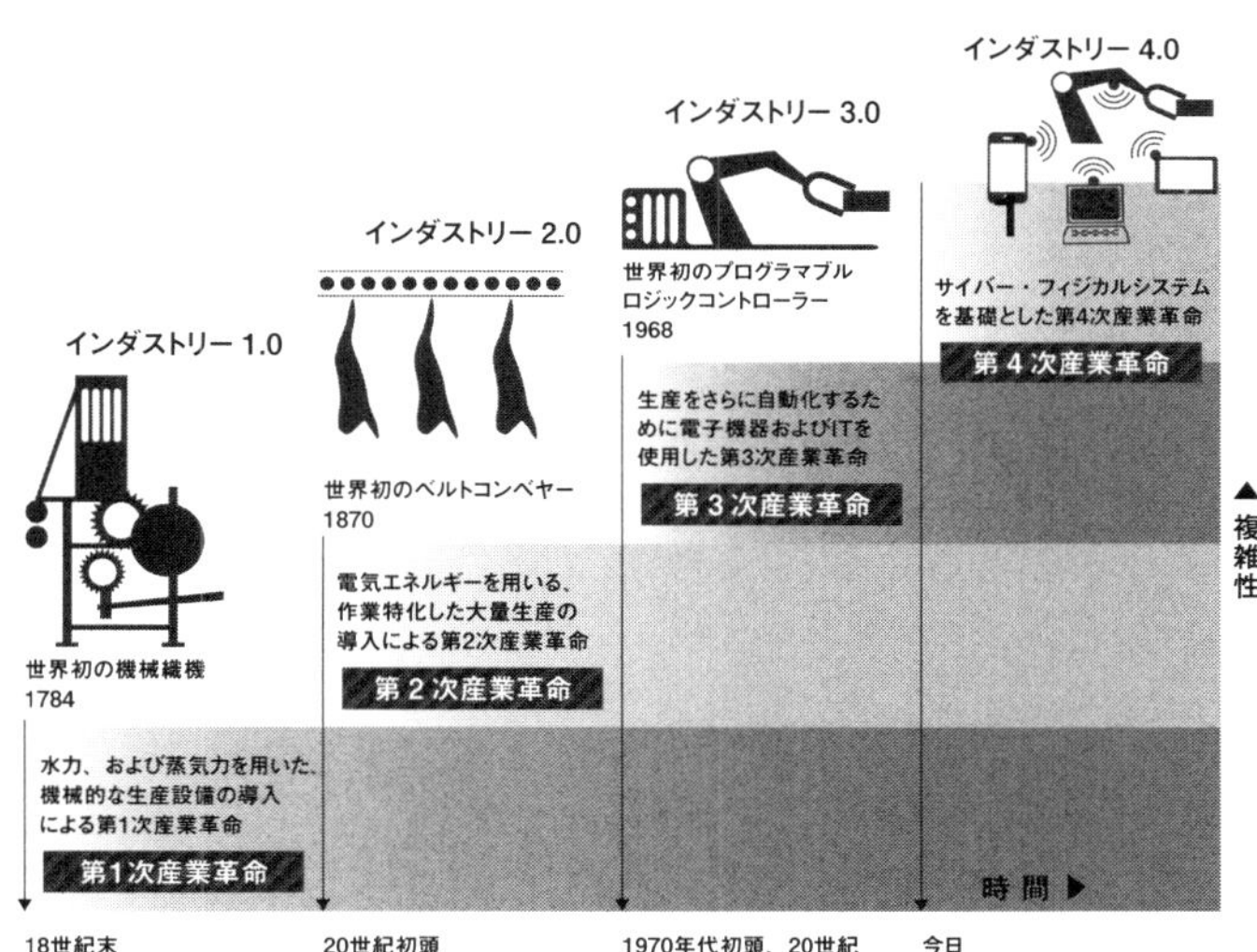

トである。

　第１次産業革命が蒸気機関、第２次産業革命が電力化、第３次産業革命が電子・ＩＴ・自動化による産業革命を表している。そして、インダストリー４・０は、現実世界とデジタル世界を融合させるＣＰＳ（Cyber Physical System）による産業革命を表している。

　ＣＰＳはデジタルツイン技術とも呼ばれ、「デジタルの双子」を意味しデジタル空間上に物理空間の双子を再現して事前シミュレーション・分析・最適化を行い、それを物理空間にフィードバックさせるという仕組み全体を指す。CPS・デジタルツインについては本章の後段で詳述したい。

ドイツがインダストリー4・0を推進した目的はいくつか存在するが、本質は「新興国への効率的展開」「製造技術のサービス化」という2点が大きい。ドイツや欧州市場が成熟化する中で、ドイツ企業の成長の余地としては中国をはじめとした新興国市場の展開を拡大する必要がある。

今までの製造技術・ノウハウをデジタル化することにより、効率的に新興国工場の立ち上げ・オペレーション移転を図るとともに、ソフトウェアでブラックボックス化し、付加価値を本国に残すことにつなげる。さらには、それらノウハウ・技術を外販していくことにより、中小企業も含めて新たな収益源を得ていく動きである。

これはまさに本書で展開したい「ものづくりプラットフォーム」の動きそのものである。ドイツ企業でインダストリー4・0を主導している役割のシーメンスやボッシュは、自社製造拠点においてマザー工場のノウハウをグローバル各地の工場へ効率的にコピー展開し、かつブラックボックス化することで新興国展開を加速している。それとともに、それぞれものづくりで培ったノウハウをもとに製造業を支えるデジタルサービスや、ものづくり工程を支えるFA商材（ファクトリーオートメーション：生産工程の自動化・デジタル化を図る商材）を他社製造業に展開しているのだ。

中国製造2025

ドイツで生まれたインダストリー4・0は世界中に拡がっており、米国においてはGEを中心に設立されたインダストリアルインターネットコンソーシアムがインダストリー4・0との連携・融合を図っているほか、欧州（仏インダストリーオブフューチャーなど）、日本（コネクテッドインダストリーズ）、さらには新興国（タイ：タイランド4・0など）をはじめ、多くの国々でスマート製造に関する政策イニシアチブが発表され推進されている。

中でも特に目立った動きを見せているのが中国である。2015年5月には中国版インダストリー4・0とも呼ばれる「中国製造2025」が発表され、スマート製造に向けた国家的戦略として展開されている。安い人件費と市場の大きさを活かして製造拠点を提供する「世界の工場」としての従来の〝製造大国〟から、イノベーションを生み他国製造業をリードしていく〝製造強国〟へと転換するためのロードマップが掲げられ、着々と進行してきている。

先述のグローバルライトハウスにおいても最大の21工場が認定され、次点の7工場認定の米国や5工場認定のドイツを大きく引き離すなど、世界の製造業の先端になりつつある状況である。

2 中国・ハイアールのプラットフォーム

ものづくりにおいて先端へと変化しつつある中国の動きとして、特に特徴的なのが1984年設立の世界最大規模の家電メーカーであるハイアールの展開である。同社は三洋電機の買収や、GEアプライアンスの買収が日本では知られており、技術やノウハウを買っている企業とのイメージが大きいかもしれない。しかし、その立ち位置は大きく変わってきており、新たなものづくりのイノベーションを生み、世界に提供する側へと転換している。

同社は自社の冷蔵庫等工場（瀋陽、青島）において機能・デザイン・色などの顧客のニーズに合わせた個別生産をデジタル技術・自動化技術を活用して高効率に行う「マスカスタマイゼーション」の仕組みを実現しており、その成果が評価され先述のグローバルライトハウスに認定されている。

図表8●ハイアールのコスモプラット

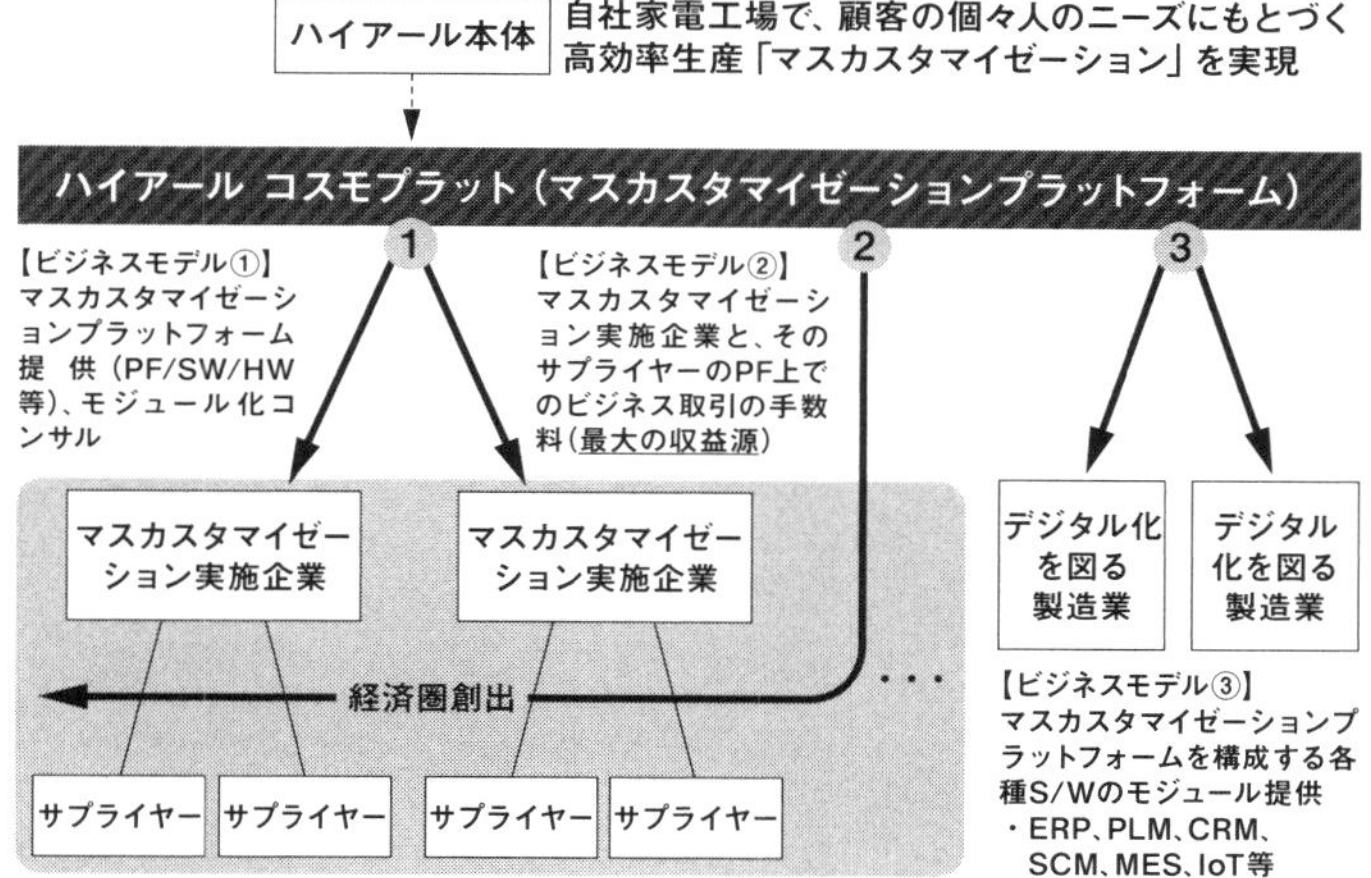

それらの仕組みを世界20カ国の幅広い業界の製造業企業に外販する、世界に先駆けたマスカスタマイゼーションプラットフォームとして展開しているのが「コスモプラット（COSMOPlat）」である。同プラットフォームは国際標準機関からマスカスタマイゼーションの標準策定に指名されており、国際標準もリードする存在となっている。

従来までは、生産性の向上やそれを通じたコスト削減、品質の安定化のためにも同一製造ライン・設備では限られた品種の大量生産を行ってきたのがものづくりの歴史である。その中で、顧客ニーズの多様化や製品ライフサイクルの短期化に伴い、日本企業をはじめとした製造業は製造プロセスの標準化や、段取替時間の最小化などたゆまない改善活動の中で、多品種少量生産を実現してきたのだ。まさにものづくり企業の技術とノウハウの結晶の一つが多品種少量生産である。

今回のハイアールの取り組みは、デジタル技術を活用して、この多品種少量生産をさらに発展させた「マスカスタマイゼーション」を展開していることになる。ものづくりにおいてドイツや日本などの先進国製造業が「ノウハウ提供側」であり、中国・新興国のものづくりが「ノウハウ提供を受ける側」といった従来の構造が大きく変わってきていることを示す事例である。これらのグローバルで起こっている変化を真摯に受け止め、中国・新興国企業からも学んでいく姿勢が重要である。

3 急速に進むものづくりのデジタル化

ものづくりプラットフォームの展開検討を行う前提として、インダストリー4・0やデジタル化の中で、ものづくり領域にどのような技術変化が起こっているのかを見ていきたい。

図表9●ものづくり領域のイノベーショントレンド

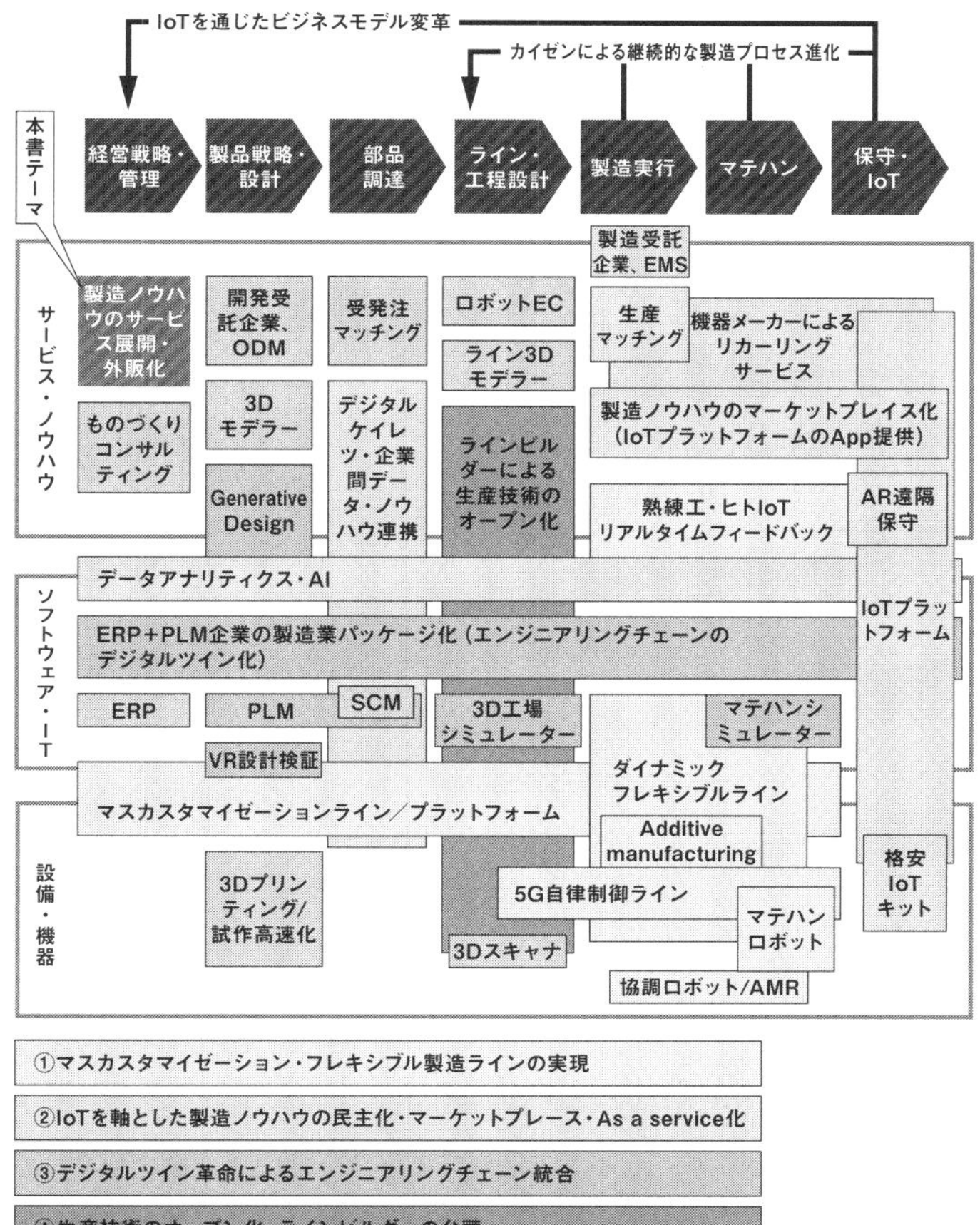

図表9は、横軸に製造業企業のバリューチェーンを、縦軸にソフトウェア、ハードウェア、サービスを置き、どのようなイノベーション・技術変化が生まれてきているのかを記載している。製造業のデジタル化としては、工場生産設備の稼働状況や振動などのデータをＩｏＴを通じてモニタリングして故障や停止を事前に防ぐ「予兆保全」と呼ばれる技術が連想されることが多い。

ＧＥが２０１２年に発表したインダストリアル・インターネットにおいて、タービンなどのハードウェアをセンサーでモニタリングすることで事前に故障を予知し、最適にメンテナンスを行うコンセプトが注目されたことが背景である。しかし、製造業のデジタル化はものづくりプロセス全体に広がってきている。細かい部分は後段で触れていくが大きな技術トレンドが下記の４点である。

【ものづくりのデジタル化で起こる主な変化】
①マスカスタマイゼーション・フレキシブルラインの実現
②ＩｏＴを軸とした製造ノウハウの民主化・製造as a service化
③デジタルツイン革命によるエンジニアリングチェーン統合
④生産技術の標準化・ラインビルダーの台頭

マスカスタマイゼーション・フレキシブルラインの実現

マスカスタマイゼーションについてはハイアールの事例で触れたとおりであるが、大量・固定的なものづくりから、複雑化・多様化する顧客ニーズに合わせた少量かつ柔軟なものづくりが求められるようになってきている。デジタル面では後述するラインシミュレーション技術などが進展する中で、物理面でそれに柔軟に対応できる製造ラインのあり方が提示されている。

今までは固定的な製造ラインでのものづくりが前提であったが、搬送機と、図表10にあるような人と協働できるロボットを組み合わせた工程や、ライン自体が生産工程に合わせて動くコンセプト等が提唱されている。また、複雑化するものづくりの中で、ミスがないように人の動きをモニタリングする仕組みや、3Dで視覚的に次につくるべき工程を指示する仕組みも重要となる。顧客ニーズの変化とともに、たとえばコロナ禍では自動車会社がフェイスシールドや呼吸器などの製造への対応を迅速に行ったが、同様に変化が激しい事業環境に対する柔軟なものづくりの重要性が増している。

図表10●フレキシブルなものづくりを支えるラインの仕組み

ドイツロボットメーカー クカ	ドイツFA企業 ボッシュ

出所:クカ、ボッシュ提供

製造ノウハウの民主化と「製造as a service」の加速

「②製造ノウハウの民主化・製造 as a service 化」であるが、IoTをはじめものづくりプロセスがデジタル化されるようになると、それらノウハウを商材として展開する企業が現れるとともに、それらを活用して急速にキャッチアップをする企業が生まれる。そのノウハウのやりとりの土台の一つとなっているのがIoTプラットフォームである。

IoTプラットフォームとは、データセンシング・蓄積・分析・最適化を行う仕組みの基盤であり、GEがインダストリアルインターネットの提唱とともに自社の仕組みの外販を開始したプレディックス(Predix)が初期のIoTプラットフォームとして著名である。また、後述するデジタルツインプラットフォーム企業のＰＴＣのシングワークスや、シーメンスのマインドスフィアなどがグローバルでの最大手である。日本企業ではロボットメーカーのファナックがフィールドシステムを、日立製作所がルマーダ（Lumada）を展開している。

これらＩｏＴプラットフォームはデータ基盤とともに、そのデータを活用した分析アプリケーションを提供しているが、プラットフォーム企業があらゆる用途・シーンを自社製のアプリケーションでカバーできるわけではない。そのため、生態系を意味するエコシステムと呼ばれるパートナーネットワークを形成し、彼らが強みを持つ領域のアプリケーションもプラットフォーム上で展開を行うことで、プラットフォームの価値を高めている。

プラットフォーム企業としては優れたノウハウや技術力を持つパートナーが参画し、自社プラットフォームで展開しやすくする仕組みが重要となる。

たとえばシーメンスのＩｏＴプラットフォームであるマインドスフィアでは、シーメンスとともにパートナーがアプリケーションを展開し、ｉＰｈｏｎｅのＡｐｐｓｔｏｒｅのようにマーケットプレイスを通じてアプリケーションを売買できる仕組みを有している。加えて、ドラッグアンドドロップでアプリの開発とデータ統合が可能となるローコード開発プラットフォームを買収し、ＩＴ実装力がないパートナーであってもアプリ開発が高効

図表11●IoTプラットフォームを通じたノウハウ移転の構造

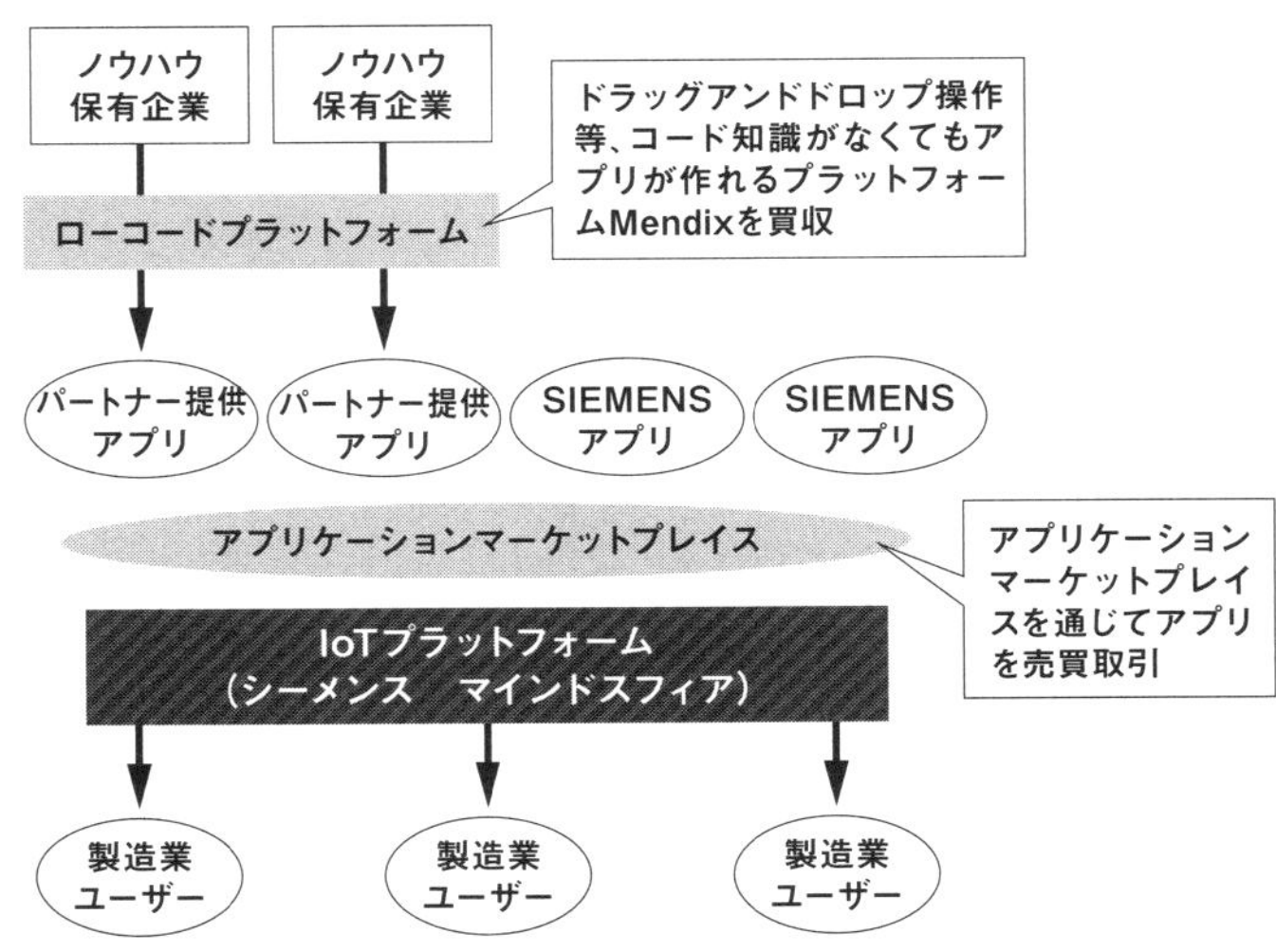

率で可能となる仕組みづくりを行っている。プラットフォーマーとしての自社アプリとともに、ノウハウのあるパートナーに参画してもらい競争力のあるアプリを提供してもらうかが、いかに重要かがおわかりいただけるだろう。

同時にノウハウを持つ企業にとってみると、プラットフォームを介して展開するチャンスになってきている。たとえば日本のＡＩ企業のＬＩＧＨＴｚ社は、関連会社の金型会社ＩＢＵＫＩの熟練技能者のノウハウをデジタル化した金型管理アプリ「ｘブレインズ(xBrains)」を、シーメンスのマインドスフィアを通じてグローバル展開している。

繰り返すが、製造業企業は製造ノウハウをアプリケーションとして調達することができるとともに、自社ノウハウをプラットフォームを介して外販することもできるようになってきている。グローバルで製造ノウハウの取引が行われているのである。

4 デジタルツイン革命がやってきた

デジタルツインとは

先述の通りドイツが提唱するインダストリー4・0においてはデジタルツイン・CPSがキー技術として捉えられている。デジタルツインは「デジタルの双子」を意味する。デジタル空間上に物理空間の双子を再現して事前シミュレーション・分析・最適化を行い、それを物理空間にフィードバックさせるという仕組み全体を指す。「デジタルツイン」という特定のITプロダクトがあるわけではなく、以下のような技術の集合体と言える。

・ＣＡＤ・ＰＬＭ（Product Lifycycle Management：製品ライフサイクル管理システム）
・ＣＡＥ（Computer Aided Engineering：シミュレーション解析エンジニアリング）
・３Ｄ工場／プラントシミュレーションソフトウェア
・ＡＲ（拡張現実）・ＶＲ（仮想現実）
・ＩｏＴ・３Ｄスキャニング

日本においては第四次産業革命が「ＡＩ」「ＩｏＴ」「ビッグデータ」のことだと捉えられ、当初インダストリー４・０のインパクトが正しく理解が進まなかった面もある。これらデジタルツインを理解し、経営・オペレーションに取り入れていくことが重要となる。

それでは、デジタルツインとは何かについて触れていきたい。

デジタルツインの歴史は１９７０年のアメリカ航空宇宙局（ＮＡＳＡ）によるアポロ13号の月面探査プロジェクトにおいて「ペアリングテクノロジー」として活用されたことにさかのぼる。宇宙飛行中に酸素タンクが爆発し危機に瀕した際に、地球上のデジタルツインを活用してシミュレーションを実施し、アポロ13号の帰還を図ったのだ。

この例にあるように、実際に実機や現場に対するアクションを行う前段階で、シミュレ

図表12●製造ラインにおけるデジタルツインと実機の連携

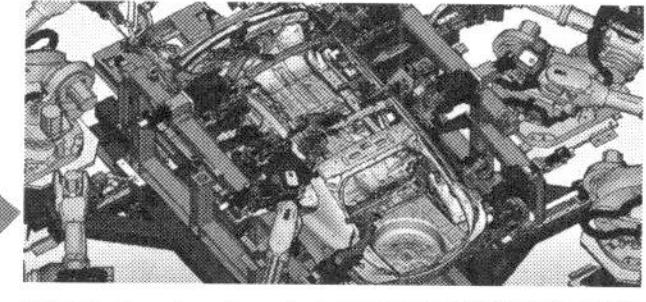

出所:https://www.youtube.com/watch?v=Sh2tSTbE1uE

ーションを通じたアプローチ検討を行い効率的に課題解決を図ることがデジタルツインの価値である。ものづくり以外にも、都市計画・スマートシティ検討や建設（建築・土木）、自動運転シミュレーション、物流・サプライチェーン、農業、プラント検査など幅広い領域に活用されている。

図表12は製造ラインにおける活用の例を示している。今まで製造ラインは、生産技術部門の熟練エンジニアによって2次元図面やテキストベースなどの経験とノウハウにもとづき検討がなされていた。そのため生産技術エンジニアにと

って、ライン構想の視覚化は困難であった。また、事前の製造ラインの定量的な生産性シミュレーションや、干渉確認などは、熟練者のノウハウに頼らざるを得なかった。

これらを3Dモデルでのラインシミュレータを活用することにより、ライン構想の検討段階から誰もが見える形で視覚化し、各組織・協力会社との共有・議論を行うことができるようになった。また、製造工程では実際に工場を稼働・変更させることなく、工場の設計や試運転、改善についての定量的なシミュレーションもできるようになってきている。

さらには、これらシミュレーション結果を、実機のコントローラにつなぐことで動作連動し、その動作結果をシミュレーションにフィードバックする、といった循環も可能となってきている。製造ラインの実機連動の精度については、まだ改善の余地があるものの、重要な点はこれら技術でできることと、まだできない点を振り分けて活用していくことである。

現在では多くの製造業企業でラインシミュレータが普及している。しかし、当該技術が生まれた頃は、技術的に進化途上であったこともあるが、「この精度では現場では使えない」「熟練技能者が既存のやり方でやった方が速い」といった程度の反応しかなかった。

日本企業としては、デジタル技術についての「完璧主義」を捨て、活用できる既存技術を徹底活用して効率的に精度を一定程度まで高速に引き上げたうえで、残りの精度を突き詰めていくといった活用を行う必要があるだろう。

エンジニアリングチェーン全体をつなぐ

ものづくりにおいては、ここで取り上げたライン設計のみならず、製品設計－ライン設計－実製造－メンテナンスなどのエンジニアリングチェーン全体を包括的なデジタルツインでつなぐ動きが起こっている。

インダストリー４・０の中心的存在であるシーメンスは、製品設計、生産設計、製造実施、実製品動作をデジタルツインでつなぐことで、デジタル上でのシミュレーションを工場ラインや製品などの物理世界にフィードバックし、さらに物理空間での変化をデジタルでのシミュレーションに反映させるという、ものづくりの仮説検証サイクルを高速で回して最適化を図るプロセスを提唱している。

これらが実現されると部門間や拠点間の連携が効率化され、市場投入スピードが短縮されたり、柔軟なシミュレーションを通じた生産・リソースアロケーション（資源配置）が可能になるほか、図面などで行われてきた熟練者の属人的・暗黙知的ノウハウや技術を３Ｄ情報やソフトウェアを通じて可視化し、業務を標準化することができる。

これらに見られるように、製品設計・ライン設計・製造・保守などがデジタルで連携す

図表13●設計、ライン計画、製造実行の包括的なデジタルツインでの連携（例：シーメンス）

出所（左）https://new.siemens.com/jp/ja/markets/automotive-manufacturing/digital-twin-product.html　（中央）https://new.siemens.com/global/en/markets/automotive-manufacturing/digital-twin-production.html
（右）https://new.siemens.com/jp/ja/products/automation/industry-software/automation-software/simatic-mindapps.html

るようになってきている。図表14は、製造業におけるものづくりプロセスのデータ連携とデジタルツインの関係性を示している。製品の企画から生産・販売・メンテナンス・廃棄のライフサイクルにわたって製品データを管理するPLMを軸に、製品設計（CAD）や製品・プロセスシミュレーション／解析（CAE）、3D工場シミュレータなどが連携するプロセスが実現しつつある。

ここまでの全体プロセスをすべて統合している企業はま

図表14●製造業におけるデータ連携と、デジタルツインの役割

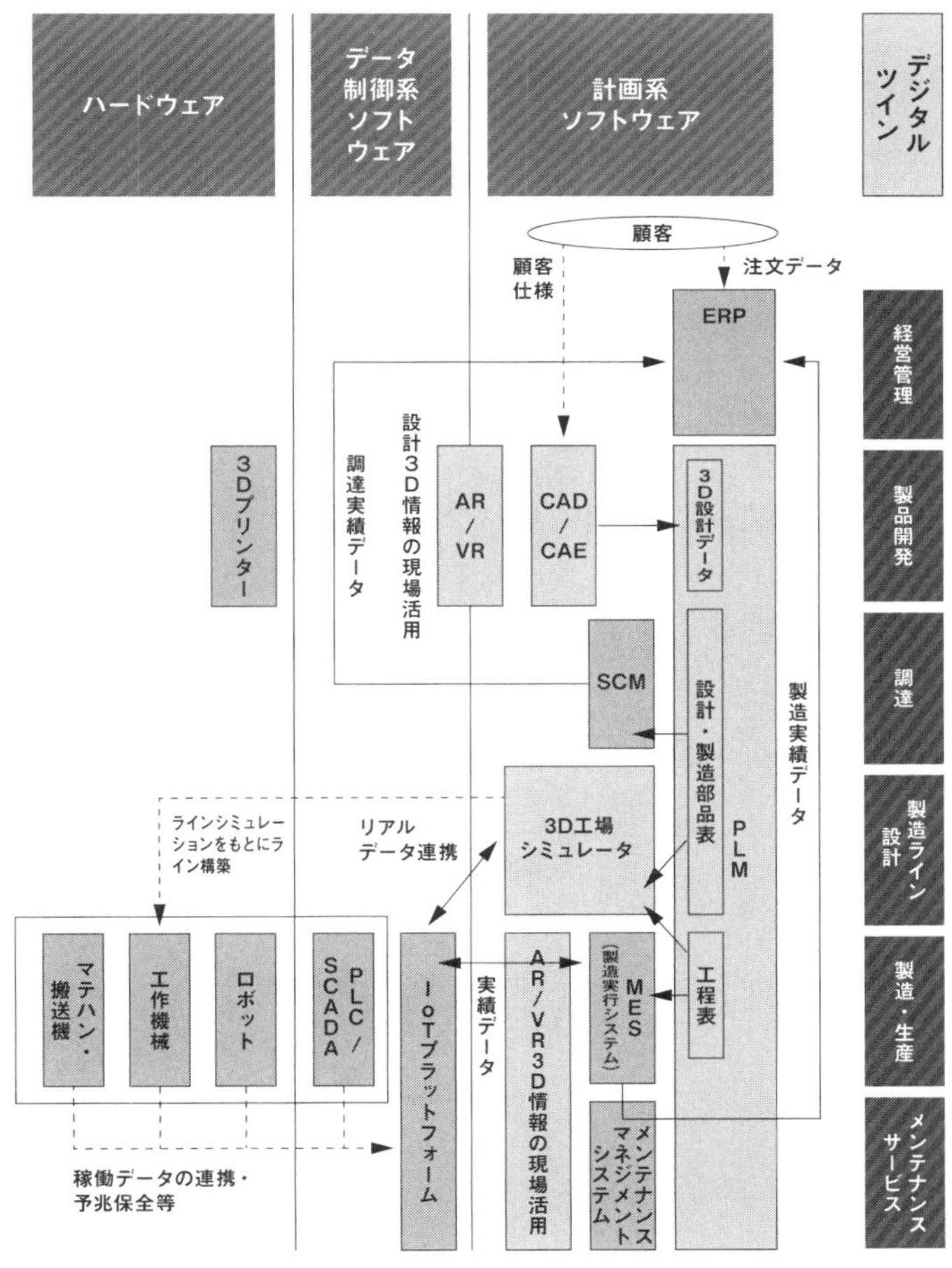

図表15●インダストリー4.0時代のオペレーション

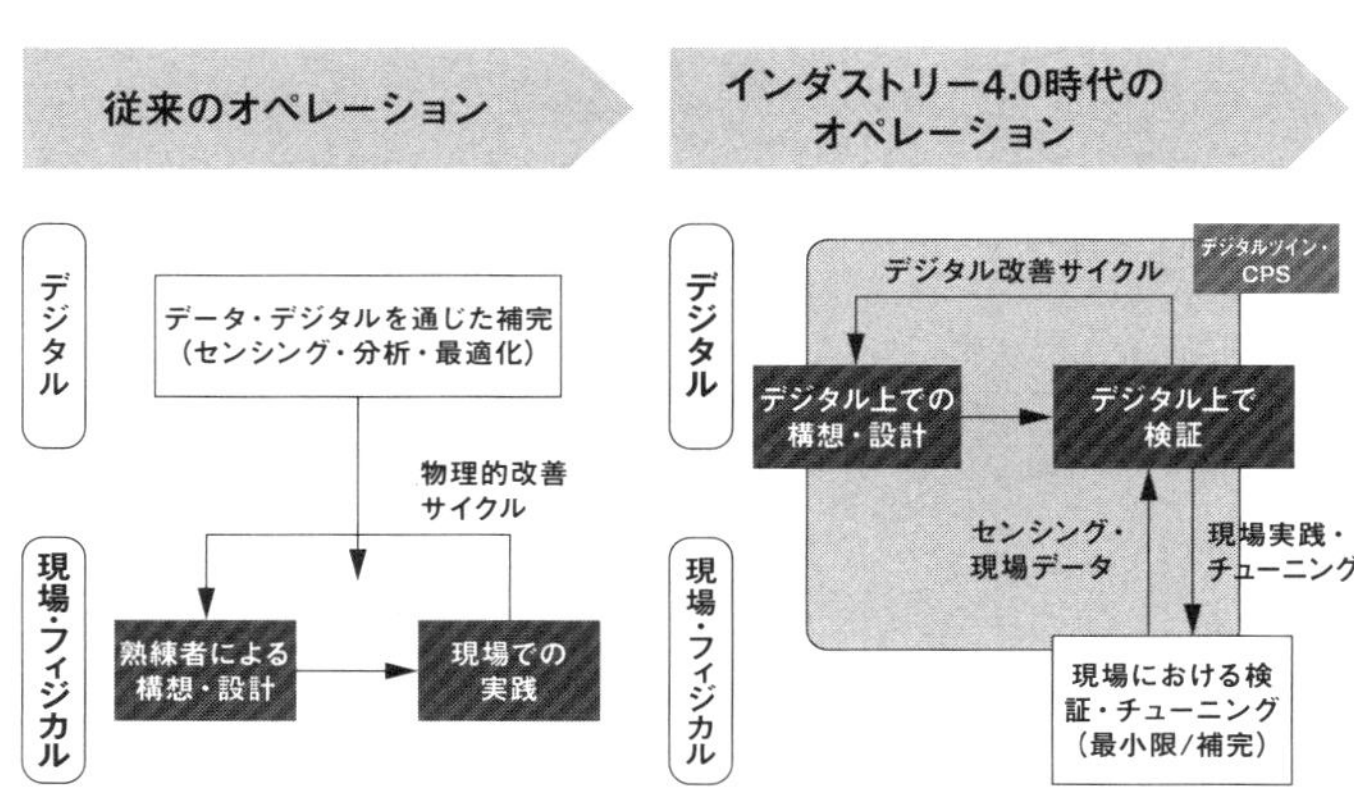

だ限られているものの、先述のＷＥＦが認定している先端工場である、グローバルライトハウス企業においては共通してデジタルツイン活用をキーとなる取り組みとして掲げている。

今までのオペレーションは図表15左のように技術・ノウハウを蓄積している熟練者が図面などのベースで構想・設計をし、実際に物理的に形づくって活用をする中で改善を繰り返していく構造であった。その中でＩｏＴなどのデジタル技術は、物理的なＰＤＣＡサイクルのあくまで補完のツールの位置づけであった。これがデジタルツインの活用により図表15右のように変化する。

デジタル上で構想－検証・シミュレーション－改善の一連のＰＤＣＡを事前に行い、

ある程度の検討が完了している状態で物理的な実践と調整を行う。その結果として現場における物理的な作業はデジタル上でのシミュレーションを実現するための補完として負荷を最小化するのである。

コロナ禍で現場での物理的な接触の最小化が求められる昨今においては特に重要なコンセプトとなる。これらの流れを生むうえで、上記にて示したデジタルツインを構成する各技術が重要な役割を果たすこととなる。このプロセスの変化により、以下に示すようなインパクトやメリットを生むことができる。

激しい変化に対応できる柔軟なオペレーションの実現

激しい事業環境の変化や、コロナ禍のような予測ができないトラブル、さらには顧客ニーズの多様化などについては、現場における物理的な検討プロセスには限界がある。デジタル上で効率的にシミュレーションを実施し、柔軟に対応していくことが求められるのである。デジタルツイン活用により、これら状況においても迅速なシミュレーションにもとづく対応が可能となり、最小限の時間・リソースで現場での実践を行うことができる。

現在のＶＵＣＡ（Volatility：変動性、Uncertainly：不確実性、Complexity：複雑性、Ambiguity：曖昧性）と呼ばれる予測の難しい環境下においては、変化に対応する能力

「ダイナミックケイパビリティ」が重要とされる。たとえばコロナ禍で既存製品の需要が大きく落ち込むと同時に、マスクやフェイスシールド、人工呼吸器などの新たな需要が生まれ、空いた製造キャパシティで迅速に別製品を作る意思決定が求められる状況になった。

環境変化を踏まえた迅速な方向転換や、それが成り立つかどうかの検証ではデジタルツインの活用が不可欠となる。コロナ禍のドラスティックな変化に限らず、受注状況に応じたグローバル工場間での生産アロケーションや、規制変化に伴う製品設計・製造ラインの柔軟な対応など、デジタルツインを活用したオペレーションの柔軟性を担保することがますます重要になっている。

検討のリードタイム・コストの最小化と、事前検証を通じたリスク低減・品質向上

デジタル上で検証を行うことで、いままで物理的な試作品・試作ラインなどを作り、物理的に検討していた時間を最小化し、市場投入スピードを短縮することができる。また、物理的なオペレーションを実施する前にデジタル上で事前検証を行うことや、デジタルに表現され誰もが見える形で検討が進み各部門の知見・意見が集約されることにより、リスク低減がなされるとともに、品質向上にも寄与する。

たとえば3Dで検討することにより、内部構造など今まで熟練者による目視確認ができ

ず「勘と経験」に頼っていた領域も事前検証ができるようになり、従来のプロセスよりも品質が向上しているケースも存在する。

組織・企業を超えた連携の実現

誰もが見える形となることで、前工程から後工程への順を追った検討ではなく、検討段階から前工程・後工程の意見を盛り込むなどの組織を超えた連携が実施しやすくなる。たとえば製品コンセプト検討段階から製品設計、生産技術（生産ライン検討）、製造、品質保証、サービスなどの各部門の観点での意見を取り入れ、検討を行うことができる。

これは企業を超えた連携においても同様である。協力・委託会社や、サプライチェーン企業と検討段階から効率的に連携を行うことができる。

オペレーションの標準化、熟練技能の伝承

これまではオペレーションやノウハウは熟練者の背中を見て覚えるものであり、長期間の経験が必要であった。熟練者の高齢化・退職が進み外国人も含む誰もがオペレーションできる標準化が喫緊の課題である中で、今までのやり方では人材育成に時間がかかるとともに、ノウハウ・技術が属人化してしまう欠点があった。しかし、デジタルツイン技術の

活用により、誰もが見えるデジタルで表現されるようになる。誰もがそのプロセスを理解し、効率的に習得し実践できるようになり、オペレーションの標準化や熟練技能の伝承につながることが考えられる。

オペレーションノウハウのソリューション化

前述の通り暗黙知であったノウハウ・オペレーションが、誰もが見えるデジタルで表現されることにより、強みを活かしたソリューション展開、新たなビジネスモデルの構築につながる。たとえば製造ライン設計を３Ｄ化することで、自社のライン設計ノウハウを他社製造業に外販していくビジネスモデルも取り得る。

製造業に限らず、幅広い産業で現場オペレーションに強みを持つ日本企業にとって、デジタルツインの活用は、自社の強みをソリューションとして競争力に変えていくことにつながる。それが本書のテーマである「ものづくりプラットフォーム」展開ともつながってくるのだ。

5 新しいプラットフォーマー、ＤＡＰＳＡ（ダプサ）とは？

デジタルツイン活用があらゆる産業で進む中で、グローバルで多くの企業に導入され、技術革新をリードする存在が生まれている。そういった産業デジタルツインにおけるグローバルプラットフォームを、ＢtoＣ領域におけるプラットフォーマーであるＧＡＦＡ（グーグル、アマゾン、フェイスブック、アップル）のように「ＤＡＰＳＡ（ダプサ）」と呼びたい。ＤＡＰＳＡは図表16のダッソー・システムズ（以下ダッソー）、アンシス、ＰＴＣ、シーメンス、オートデスクの頭文字をとった筆者による造語であり、本書を通じて提唱するものである。

ＤＡＰＳＡは広範な産業におけるデジタルツインプラットフォームを担っており、製品設計を中心としたＰＬＭ領域を軸に、ＣＡＥ（製品・プロセスシミュレーション、解析など）、工場シミュレーター、ＩoＴ、ＡＲ／ＶＲなど、デジタル上でのポートフォリオを拡大している。グローバルでも、かなり広範囲な産業において導入されている。

こうしたグローバルで標準となりつつある既存デジタルツイン技術を徹底活用し、製造業としての新たなビジネスモデル「ものづくりプラットフォーム」の構築が求められる。

図表16●デジタルツインプラットフォーマーDAPSA

BtoCにおけるプラットフォーマーGAFA	産業デジタルツインにおけるプラットフォーマーDAPSA		本社国	設立年
G	D	ダッソー・システムズ	仏	1981年
A	A	アンシス	米	1970年
F	P	PTC	米	1985年
A	S	シーメンス	独	1947年
	A	オートデスク	米	1982年

デジタルツインプラットフォーマーのDAPSAの製造業における事例の一部を下記にて触れる。

D：ダッソー（仏）――ロクシタンの事例

ダッソーは1981年設立のフランスのデジタルツイン企業である。3Dエクスペリエンス（3D EXPERIENCE）をコンセプトに、設計・ライン設計・製造・販売・サービスのすべての領域をデジタルでつなぐポートフォリオを持っている。航空機企業のダッソー・アビエーションからスピンアウトした企業で、ものづくりで培った技術・ノウハウを、他社が活用する技術として外販しているものづくりプラットフォーム企業の先行例でもある。

ダッソーのバーチャルツイン（同社におけるデジタルツイン）活用としてはロクシタンの事例を紹介したい。仏本社の化粧品メーカーのロクシタンは製造工場の工程・ラインとともに、作業者の動作や手順の分析をバーチャルツインを構築し検証することで、生産性の向上や、作業者の負荷軽減を図り、さらには作業者の筋骨格障害リスクまで評価をしている。生産技術部門のライン設計は日本の強みであるが、これらの工場のラインを３Ｄ化することにより、ライン設計の生産性向上・製品市場投入期間の短縮や、既存ラインデータを活用した他工場へのライン移転の迅速化、さらには、生産技術力を活かした他社に対するライン設計展開にもつなげることができる。

Ａ：アンシス（米）――ＧＥ洋上風力発電機の事例

アンシスは１９７０年設立のＰＬＭとＣＡＥに強みを持つ米国のデジタルツイン企業である。自社としてのデジタルツイン展開とともに、ＳＡＰやマイクロソフト、ＧＥなどのデジタルツインを活用したソリューション企業の基盤技術も提供していることが特徴である。

たとえば、ＧＥはプレディックスにアンシスのデジタルツイン技術を活用している。海

S：シーメンス（独）

マセラティ：製品設計ーライン設計ー実製造ー保守の3D管理

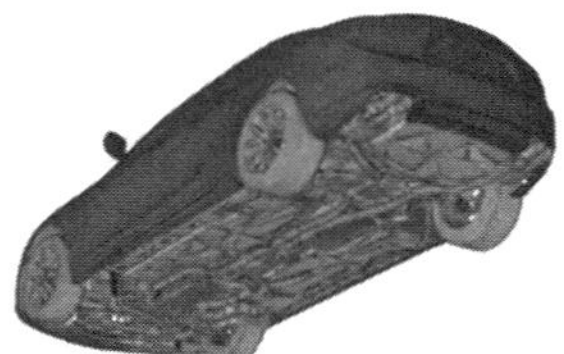

出所：https://new.siemens.com/jp/ja/products/automation/topic-areas/user-showcase/maserati.html

A：オートデスク（米）

東芝エレベータ：ゼネコンの建設物3D設計と連携した製品3D設計

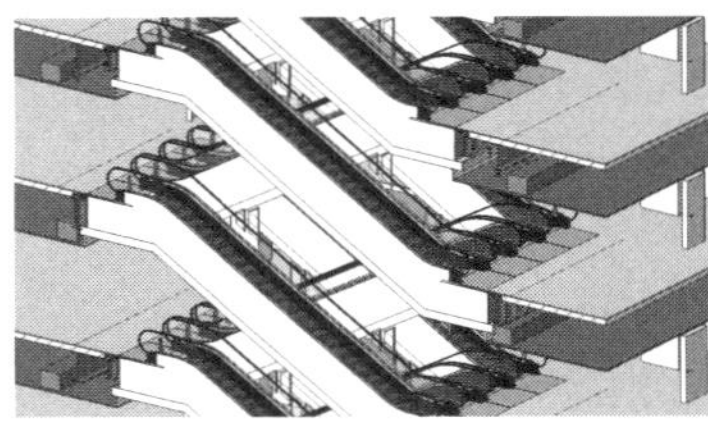

出所：https://www.autodesk.co.jp/press-releases/2018-10-17

図表17●デジタルツインプラットフォーマーDAPSAによる主な事例

D：ダッソー（仏）

ロクシタン：製造工程ライン・人作業の3D化

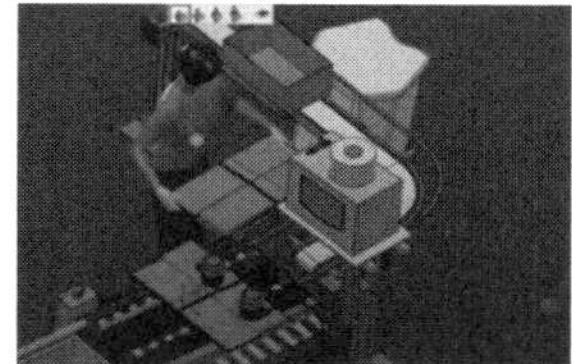

出所：ダッソー・システムズ提供

A：アンシス（米）

GE：洋上風力発電機のオペレーション3D化

出所：https://www.youtube.com/watch?v=3Y1lnF4_pKY

P：PTC（米）

ワールプール：3D製品設計を活用したメンテナンスAR活用・IoT管理

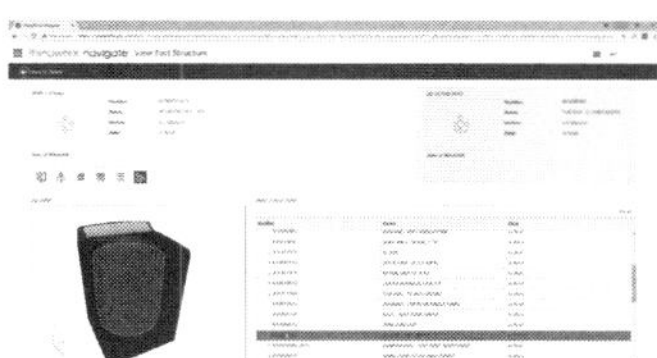

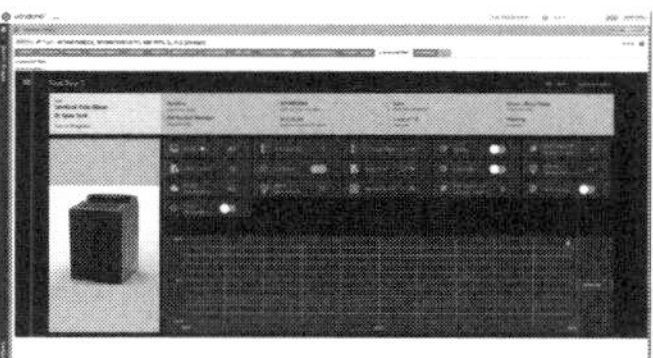

出所：PTC 提供

洋風車は洋上にあるため確認は困難で、多額の費用が必要となってしまうがデジタルツインを活用することで、リモートかつリアルタイムに情報の分析ができ、オペレータはすぐにモーターの交換時期の計画を立てることができる。

また、風力発電用タービンは設置場所の地形に影響を受けるため、個体ごとに部品の消耗度が異なる。それぞれの部品ごとに3Dモデルを構築し寿命・劣化具合を予測・分析することで、目視では確認できず、熟練技術者の勘と経験に頼っていた部分を「見える化」することでメンテナンスに活用している。

同社の例は、既存オペレーションをデジタルに置き換えるだけではなく、物理的なオペレーションでは実現できなかった新たな付加価値を生むことを示している。

P：PTC（米）――ワールプールの事例

PTCは1985年設立の米国本社のソフトウェア企業で、デジタルツインの情報を活用したソリューションを提供している。PLM・CADの製品や、設計、稼働データを基軸として現場からデジタルへデータをフィードバックするIoTと、デジタルデータを現場で活用するARを組み合わせた展開を行っている。

米国の世界大手家電メーカーのワールプールは、PLMを活用し製品設計を3Dで行うとともに、その３Ｄ情報にＩｏＴで取得した稼働データを付加し、メンテナンスを実施しやすくしている。また、メンテナンス時にＡＲを用いた３Ｄ指示を可能にしている。製品データをデジタルツイン化することにより、品質検査やメンテナンスなど、後工程でも効率的に活用できているのである。

デジタルツインは３Ｄで誰もが見える形で活用することで、製品設計・図面などの個別部門の前提知識やノウハウがなくても活用を拡げることができる。特にメンテナンスについてはパートナー企業などの他社が実施するケースが多く、３Ｄ化・誰でも見える化によるオペレーション品質向上が必須要件となる。

Ｓ：シーメンス（独）――マセラティの事例

シーメンスは１８４７年設立の、ドイツに本社を置くコングロマリットである。重電をはじめとする製造企業であったが、１兆円以上の資金を投じた買収を実施し、デジタルツインを中心としたデジタルソフトウェア企業へと大きく舵を切っている。自社の製造業企業としての取り組みを、デジタルツールとして展開を行っているものづくりプラットフォームの例でもあるのだ。

イタリアの自動車メーカーのマセラティは、製品設計や工場内生産ラインのデザイン、稼働状況まで、すべてをデジタルツインでシミュレーションするとともに、その結果を生産設備の制御にも適用している。つまり、デジタル上のシミュレーションを物理空間の実機と連動させているのである。

今まで熟練者が物理空間で行っていて気づけなかった無駄・非効率を含めた検証・改善を行うことで、自動車設計から市場投入までの期間を30カ月から16カ月に短縮し、生産性を3倍に向上させている。

A：オートデスク（米）——東芝エレベータの事例

オートデスクは1982年設立の米国に本社を置くソフトウェア企業である。設計ソフトウェアに強みがある。製造業向けデジタルツインのみならず、建設業の設計ツール・デジタルツインであるBIM（Building Information Modeling）もポートフォリオとして持っている。工場の施設と連携したライン設計を行っているほか、建材メーカー向けにおいては、彼らが持つ製品3Dデータと、顧客であるゼネコンと建設物3Dデータ（BIM）との連携が行える。

東芝エレベータはオートデスクのデジタルツイン活用を通じたビジネス・オペレーション変革を目指し、ゼネコンの建物設計と自社エレベーター製品の3D図面を連携し、顧客との設計のすり合わせを効率化している。従来は図面ベースでのコミュニケーションしかなく、変更依頼があった際には持ち帰って図面を変更し、再度すり合わせをし、といったことを繰り返す必要があった。その結果、設計リードタイムがかかるとともに、ゼネコン側もエレベーター部分の設計変更を建築プロジェクト全体のモデルに反映させなければならなかった。

デジタルツイン活用により、ゼネコンの３Ｄデータと、自社エレベーター製品のデータを連携させ、顧客の要望に合わせて迅速に対応することが可能となり、自社設計効率向上・リードタイム削減と、顧客満足度を高めることを同時に実現している。

第3章

デジタル化で起こる製造業の地殻変動

本章においては技術変化の４点目であるラインビルダーを介した生産技術のオープン化に触れるとともに、それによる急速な新興企業のキャッチアップや、ものづくりの水平分業の進展などについて触れたい。

1 生産技術のオープン化とラインビルダーの台頭

「80%のものづくり」を調達する方法

従来、製造ラインの情報は、主に生産技術部門の熟練技能者による図面と、図面に表現できない暗黙知を通じて形成されていた。そのため、同じ製造ラインを他国に作る際にも、図面の解釈に経験が必要となるうえ、図面で表現しきれていない部分が存在しており、非効率であった。それらが先述した３Ｄのデジタルツインで表現できるようになると、「誰もが見える」形で再現・やりとりすることが可能となる。

たとえば、マザー工場の製造ラインを、３Ｄラインデータやそれに紐づく情報をもとに効率的に他国工場に移転することができる。シーメンスやテスラといった企業はマザー工場のオペレーションを新興国工場へコピーしているが、これら3D技術が支えている面が大きい。

従来はノウハウの移転が進まず、マザー工場で一度組み立てて、それを分解して他国工場へ輸送し再度組み立てるといったプロセスが取られるケースも多かったが、これらラインの設計のノウハウ・情報・データの共有が各段に効率的になることで、製造ラインの「コピー」や、既存ラインを土台に高速にカイゼンを図ることが可能となってきているのだ。

もちろん、すべての情報が3Dで表現できるわけではないが、3D工場シミュレーションツールにより一定程度の製造情報（ここでは「80％の情報」とする）がやりとりできるようになると、80％はデジタルデータを活用して効率的に立ち上げ、熟練技能者のノウハウや検討工数が必要な部分は20％に抑えることができる。

さらには、企業間でも製造ラインのデータ・ノウハウのやりとりが行えるようになっている。たとえば、欧米企業の先端製造ラインを、新興国企業が「調達」することで同様のオペレーションを実現するといったプロセスが可能となるのだ。先ほどの表現でいうと、「80％」のものづくりの仕組みは、自社内に蓄積がなくとも外部から効率的に調達が可能な時代になっていると言える。

これらの動きを下支えしているのがラインビルダーと呼ばれる企業だ。ラインビルダーとは、製造ライン構想からエンジニアリング、機器選定、据付、試運転、作業者教育、メンテナンスまでをフルターンキー（一括供給）で実施する外部企業を指す。そのうえで、フルターンキーではなく一部領域・工程を担う存在を生産設備ＳＩｅｒ（エスアイヤー：システムインテグレータ）と呼び分けたい。日本においては、日本企業とともにＧＭやダイソンなどのグローバル企業のラインも担っている熊本県本社の平田機工が代表的企業である。

グローバルで拡がるラインビルダー活用

インダストリー４・０をはじめとするものづくりのデジタル化や複雑化が進む中で、ラインビルダーの存在感がグローバルで高まっており、欧米や中国、さらには新興国ではライン導入において彼らを活用することが一般的になってきている。そのため、欧米をはじめ多くの産業で、広範な標準ラインメニューを持つ総合系のラインビルダーが生まれている。

主なラインビルダーとしては、日立製作所が買収した米国のＪＲオートメーションや、米国のＡＴＳオートメーション、独のデュル、フィアットグループ傘下のイタリア・コマウなどである。驚くべきはその顧客カバレッジの広さである。たとえば、ドイツの塗装工程に強いラインビルダーであるデュルの自動車領域における顧客カバレッジとしては、ダイムラー、ＢＭＷ、フォルクスワーゲン、アウディ、ＦＣＡ、ＧＭ、フォード、ボルボ、テスラとかなり広く、欧米系をほぼ押さえていると言っても過言ではない。

欧米の自動車メーカーとしては、ラインビルダーを活用することによるコア技術の流出よりも、「ラインビルダーを活用しないリスク」の方が重要であると捉えている。自社で生産技術・リソースを抱えている間に陳腐化してしまうリスクを抱えるのであれば、ラインビルダーを通じて先端の技術を取り入れ、その分のリソースを他の競争領域に集中投下して差別化を図ることがより戦略的であるとの判断である。

もちろんすべての工程でラインビルダーを活用しているわけではなく、自社で賄う競争領域とラインビルダーなどを活用する非競争領域を振り分けたうえで、コアとなる工程は自社で磨き上げなければならない。

一方で、日本においては、従来より製造業企業の内製志向が強く、自社内生産技術が構想設計などを行い範囲を定義したうえで、ある程度決められたスコープを生産設備ＳＩｅｒに依頼するというケースが多かった。その結果として、先述の平田機工といった一部メガラインビルダーを除き、特定の領域での零細～中堅の生産設備ＳＩｅｒが多く存在している構図となっている。

図表18●欧米と日本の生産技術とラインビルダーの関係性

欧米型

■ 自社生産技術が比較的弱くライン構想・設計等をラインビルダにアウトソース

■ 能力のあるラインビルダー・生産設備SIが存在

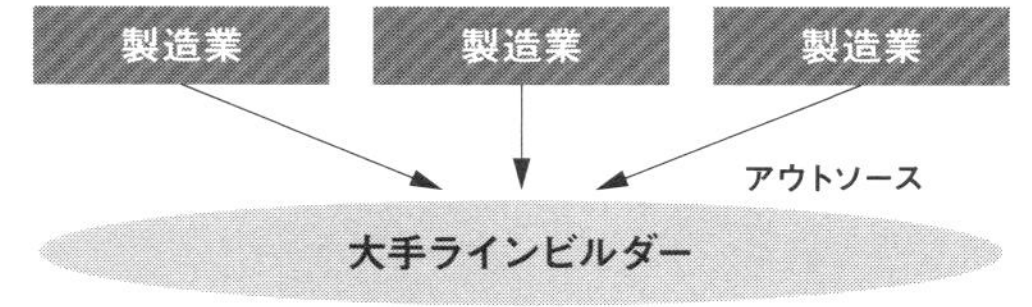

日本型

■ 社内生産技術部門が強く自社で構想・設計
■ 近年リストラ等で社内能力が弱体化
■ ラインビルダー・SIは中堅～零細が多く一部を除き大手は少ない

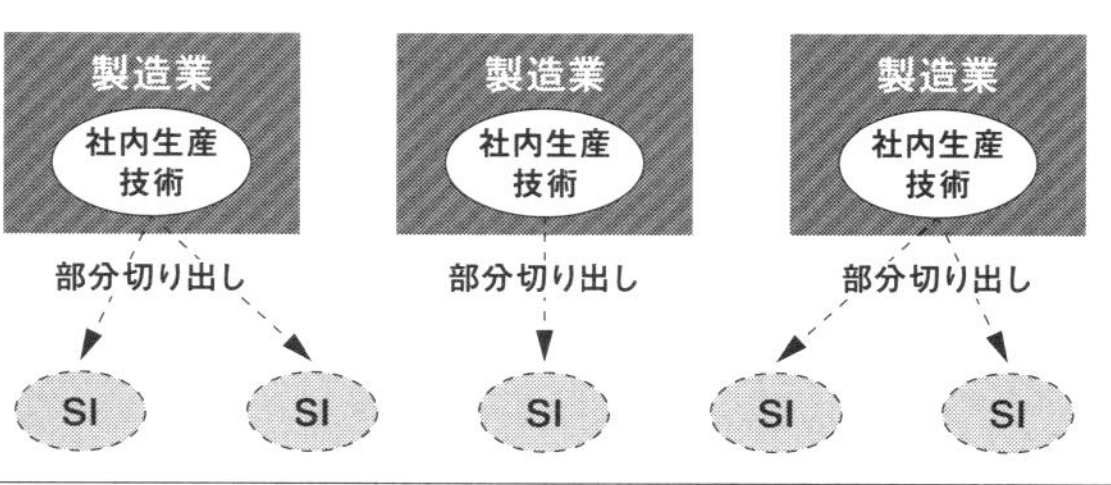

欧米でなぜここまでラインビルダーの活用が進んでいるかというと、背景に日本企業への対抗意識も存在する。歴史をたどると欧米メーカーも生産技術をコアと捉え、多くの領域を内部で抱えてきていた。その方針を転換させた大きな要素の一つは日本企業の躍進である。

日本企業はトヨタ生産方式をはじめとした現場での仕組み、熟練技能者のノウハウや自律的オペレーションに基づき、圧倒的な生産性とコストを実現し、欧米企業を苦しめた。その際のベンチマークとして日本企業の現場力・生産技術力に対して真っ向から対抗するのではなく、別の競争軸で差別化を行う方向性が着々と進められてきた。その一つがデジタルエンジニアリングであるが、それとともに重要な方向性として検討されてきたのが、コア領域外の外部ラインビルダーの徹底活用である。

生産技術を自社で抱え内製化するリソースを、デジタル化やサービス化といった顧客との関係性強化に割り振るとともに、自動車業界でいえばＣＡＳＥ対応など、新規技術の開発、つまりコア技術の開発にフォーカスをしている。こういった競争領域、非競争領域の徹底した振り分けの結果として、ラインビルダーの活用が進んでいる一面がある。

図表19●ラインビルダーを介した新興国へのノウハウ移転の流れ

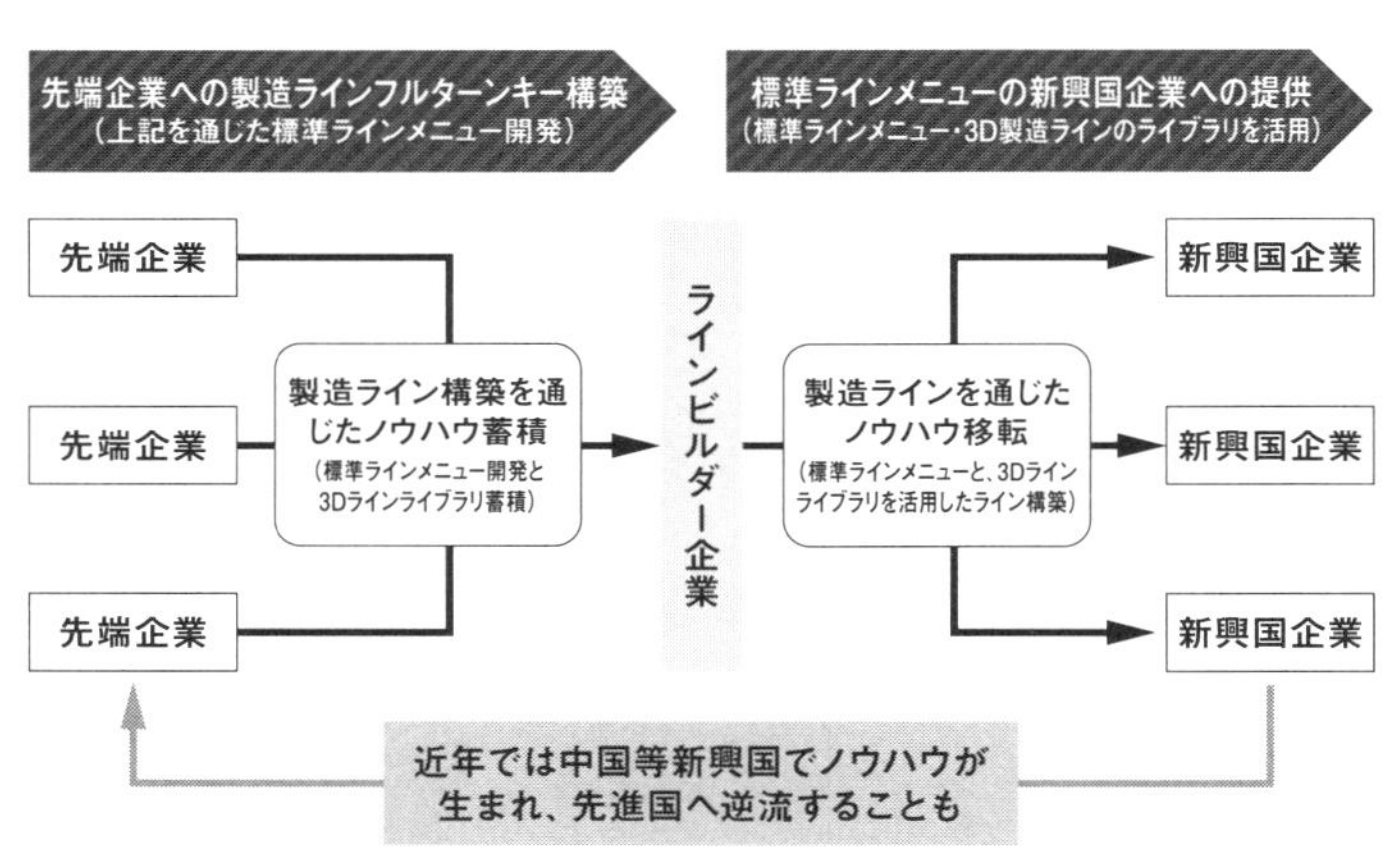

ラインビルダーを介した新興国企業の急速なキャッチアップ

先述の通り、中国を含む新興国企業の急速なキャッチアップの背景には、これらラインビルダーの存在が大きい。ラインビルダーは企業とライン開発を行う際に標準メニューとして開発し、そのノウハウをもとに他社へ横展開を行っている。

たとえば先述の独デュルは、塗装ライン、組立ライン、搬送ライン、検査ラインなどを標準メニューとして有しており、企業はデュルに依頼することで、グローバルで標準的に活用されている製造ラインを導入することが可能である。同様に、新興国企業としては、ラインビルダーが先端企業と開発した標準メニューを活用することで、製造ラインのノウハウを調達することができる。

ただし、その流れ自体にも変化が生まれてきている。従来は欧米等の先進国企業から、中国を含む新興国企業へ技術・ノウハウが移転する流れが主であったが、逆の流れも生まれているのである。豊富な投資予算や、既存製造ラインやオペレーションのレガシー（遺産）がないことを背景に、先端的なライン技術開発が中国や新興国で行われ、その技術・ノウハウを先進国企業が調達するといった動きもでてきているのだ。

2 ノウハウの調達を通じた自動車製造参入——ベトナム・ビンファスト

不動産から自動車へ

これまで解説してきたとおり、設計データや製造ライン構成などがデジタルツインにより表現されるとともに、ＩｏＴプラットフォームなどを通じて製造ノウハウのやりとりが

図表20●ビンファストによるアジャイル型スマート製造立ち上げ

製品設計

製造

品質管理

①BMWより車体ライセンスを購入し製品3Dデータを活用

②BMW が活用したラインビルダー登用により同様のラインを構築

③デジタルツイン・IoT プラットフォームを活用し、効率的にノウハウを移転・蓄積

④GM よりトップエンジニアを副社長などの要職に登用

出所:https://new.siemens.com/global/en/markets/automotive-manufacturing/references/vinfast.html

行われるようになってきている。これらを活用・調達することで、製造ノウハウの蓄積がない企業でも80%のものづくりは立ち上げられるようになってきている。

80%と表現しているとおり、当然ながら先端企業のオペレーションや技術力をすべてコピーできるわけではない。しかし、既存技術・ノウハウを徹底活用し、市場に早期投入をしながら展開する中でノウハウの蓄積・高度化を高速で図っていく「アジャイル型」でスマート製造を構築してきたのが、中国・新興国型のインダストリー4・0である。IT企業や新興国企業など、これら既存技術・ノウハウの徹底活用を行う企業が競争力を持ち、市場を席捲してきているケースは枚挙にいとまがない。

その中でも、デジタル技術を活用し、技術・ノウハウの調達を通じた早期キャッチアップを果たしている例がベトナムのビンファストである。同社はベトナム最大のコングロマリットであるビン（Vin）グループの傘下として２０１７年に設立された国産自動車メーカーである。

同グループは不動産をはじめとしたコングロマリットであり、自動車製造、さらには製造業のノウハウや経験はなかった。いわば自動車産業においては「素人」なのである。その中で、デジタル技術や外部企業・ノウハウの徹底活用を通じて、新規参入が難しいとされてきた自動車製造に参入し、通常の約半分の期間の21カ月で工場立ち上げ・量産を行うなど、早期市場投入を実現している。

何を調達したのか

では具体的にビンファストはどのように技術・ノウハウの「調達」を行い市場参入を果たしたのだろうか。同社は、創設直後にＢＭＷの旧モデルの車体ライセンスを調達している。結果として製品設計データと、生産・販売するライセンスを得た。そのうえで、製造ラインはＢＭＷのライン導入を行ったラインビルダーの紹介を受けて、彼らを活用することでＢＭＷと同様のラインを自社工場に構築したのである。

加えて、製造オペレーションについても、デジタルツインやIoTプラットフォームを通じて効率的に獲得・蓄積を行っている。ものづくりのノウハウの蓄積がなかった中で、技術・ノウハウの「買い物」によって自動車製造への参入・量産を実現しているのだ。

製造ラインの作業員のトレーニングも当該ラインビルダーが実施しているため、社内に熟練した人材がいなくても、製造ラインが稼働可能な水準まで人材を教育することができたという。ビンファストの既存技術やノウハウを徹底活用した早期展開の成功は、高度な技術やノウハウの蓄積が要求される自動車産業であっても、新規参入企業がスピード感をもって展開できることを示している。

ビンファストのアジャイル型製造立ち上げの土台には、市場の構造理解と長期的な戦略がある。彼らは、「自国ベトナムなどの新興国市場であれば80点の品質でも十分に要求水準を満たすことが可能である」という考えのもと、外部技術・企業を徹底的に活用し、アジャイル型で市場投入スピードを上げた。これらを早期に展開していき、市場対応をする中で100点へと引き上げ、長期的な視野で先進国への輸出や展開を図っていく考えである。

有望な既存技術を「見極めて」「使いこなし」、早期に市場投入することでマーケットポジションを確立する。そのうえで、品質を引き上げ競争力を構築するとともに、「使いこなしノウハウ」を武器に、新たな有望技術が出てきた際にはまたこのサイクルを回して市場へ素早く参入することを念頭に置いているのだ。

デジタル化の進展の中で、これら「アジャイル型」スマート製造企業が加速度的に増え、競争が激化することが予想される。アップルのＥＶ参入は自動車メーカーに衝撃をもたらしたが、これらも同様の動きである。

3　製造業の民主化とものづくりプラットフォーム

ものづくりの民主化（メイカーズ）から、製造業の民主化へ

ここまで解説してきた内容は、デジタル技術により「製造業」の民主化、つまり新規企業であっても、誰もが参入が可能となってきていることを示している。２０１２年にクリス・アンダーソンの著書『メイカーズ』が話題となった。３Ｄプリンターや３Ｄ ＣＡＤの登場により誰もがものづくりを行うことができる「ものづくりの民主化」を表したものだ。

メイカーズムーブメントの中で、アイデアや構想さえあればものづくりができるようになった。「一人家電ベンチャー」と話題になった、アイデア家電を販売するUPQなどのスタートアップが誕生。それとともに、これらメイカーズを支援する動きとして、シンセンなど企画やアイデアをもとに量産設計・製造を支援するODMと呼ばれる企業や、DMMドットメイク（DMM.make）やファブラボのようにものづくりに必要な設備が常設してありアイデア・構想をもとにものづくりを試行できる「メイカーズスペース」がグローバルで拡大した。

しかし、これらメイカーズの動きは、3Dプリンターや工作機械で対応できる領域に限られていた部分もあった。それが、デジタル化・インダストリー4・0の進展の中で、ノウハウの塊とされる自動車業界にも広がっている。ものづくりの民主化から、「製造業の民主化」へとその段階が深化していっているのだ。

これらデジタル化やそれに伴う「製造業の民主化」が進展している中で、どのような構造変化が起こり、ものづくり企業としてはどのような打ち手が求められるのだろうか。図表21に製造業のあり方の変化を示しているがポイントは下記の2つである。

①デジタル化により製造業の機能水平分業が進み新規参入が加速する（製造業の民主化）

②技術・ノウハウを有する企業が他企業に対して外販・提供するビジネスモデルが生まれる（ものづくりプラットフォーム）

①製造業の機能分業化の進展

先述の通り、製造業の機能の水平分業化が加速度的に起こっている。従来、製造業企業は開発／設計、調達、製造、販売、サービスなどの機能を自社で保有する必要があった。それが、製造機能に特化し製造を請け負うＥＭＳや、ライン設計・導入に特化したラインビルダーが生まれるなど、特定機能に特化した企業が生まれ、集約・機能の分業化が進んできた。そこにデジタル技術の進展により、ＩｏＴプラットフォーマーや、マッチング・シェアリング企業など新たなサービス企業が加わり、さらなる機能の分業化が進んでいる。

その中で、先述のビンファストのように製品設計やライン設計のノウハウがなくともデジタル技術や外部企業活用により新規参入する企業が増え、「製造業の民主化」や参入ハードルの低下が起こっているのだ。日本のものづくり企業としては、これら「製造業」自体の参入ハードルが極小化し、コモディティ化する状況を想定して戦略を検討する必要があるのだ。

②製造業を支えるビジネスモデルの拡大

一方で、デジタル技術・外部企業活用などの「調達」を通じてものづくりオペレーションの立ち上げや高度化がグローバルで行われるようになっている中で、技術力・ノウハウを有する企業にとっては、それらを提供し収益を得る機会にもつながってきている。先ほどのビンファストの例における設計ライセンス・3Dデータを提供しているBMWや、製造ライン構築を行っているラインビルダーのように、ノウハウや技術をもとに他ものづくり企業を支える「ものづくりプラットフォーム」としてのビジネス機会が生まれてきているのだ。

ものづくりを支援するビジネスモデルとして、①アウトソーサー、②ハードウェア（ロボット・工作機器等）・ソフトウェア提供企業、③デジタルプラットフォーマー、④コーディネーター（最適なものづくりをソリューション・企業を組み合わせて提案）、⑤マッチング・シェアリング企業などのポジションが生まれている。

特に重要となるのが、④コーディネーターである。これは製造ラインにおけるラインビルダーのように、事業環境や顧客課題・ニーズに合わせてハードウェア、ソフトウェア、

図表21●製造業のあり方の変化、分業化の進展

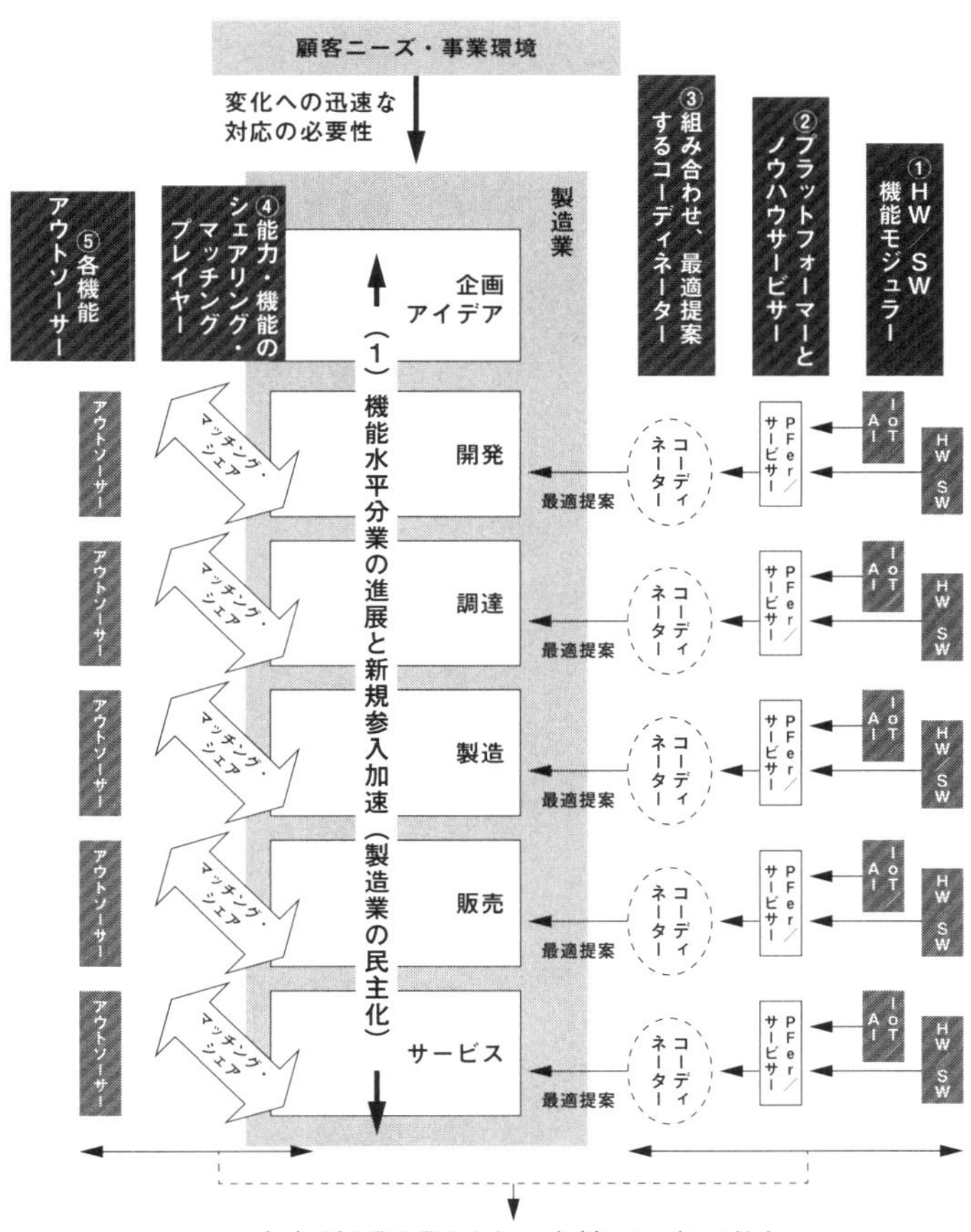

プラットフォーマー、さらにはアウトソーサーなどを組み合わせて最適提案・コーディネーションする存在である。ものづくりの高度化・複雑化にともない、ユーザー製造業にとって「使いこなし」ノウハウを提供するポジションが重要となる。ものづくりの現場で、幅広い機器やソフトウェアをユーザーとして「使いこなす」中で培った技術・ノウハウに強みを持つ日本の製造業としてはコーディネーターとしての価値発揮が期待される。

4 日本の製造業がシフトすべき「ものづくりプラットフォーム戦略」

ものづくりプラットフォームとは何か

ここまで日本企業として強みを持っている技術や現場ノウハウを、デジタル技術を活用して外販提供していく「ものづくりプラットフォーム」の機会やポテンシャルについて述べてきた。製品としての競争力が発揮しづらく、かつ技術・現場ノウハウの展開がしやすくなったデジタル時代における日本のものづくり企業の新たな戦略の一つと言える。

ただし、日本企業全体として製品製造・販売のビジネスモデルから、ものづくりプラットフォームへ完全にシフトするのかというとそうではない。重要な点は、他社製造業を支援するものづくりプラットフォーム事業と、既存のものづくり事業を掛け合わせて展開していくことである。当然ながら、経営・事業としての軸や土台は自社ものづくり事業であることは変わりない。この本業と、ものづくりプラットフォーム展開を掛け合わせることで、新たな収益源を獲得するとともに、本業も含めた自社としての競争力強化につなげていくことが重要なのである。

たとえば、先述のグローバルライトハウスに日本国内の日系企業の工場で唯一選出されている日立製作所の大みか工場は、ものづくりプラットフォームとしての外販による「外部視点」が自社製品の製造オペレーションの競争力強化にも寄与している。日立製作所は大みか工場で蓄積された技術・ノウハウを同社のＩｏＴプラットフォームのルマーダなどの他社ものづくり支援ソリューションを通じて外販している。

その際に自社オペレーションや技術・ノウハウを外販する前提で、自社の熟練技能者のみが理解・活用できるものではなく、顧客が誰でも活用できるソリューションとして徹底した標準化と属人性の排除を行っている。その結果として、外販事業としてのものづくりプラットフォームへのメリットのみならず、自社製造事業としても属人的なオペレーションから、組織の仕組みとして標準化されたものへと変化し、技能伝承・移転がスムーズになり、品質等の均質化・向上にもつながっているのである。

さらにはそれら技術・ノウハウを、外販を通じて他社、他業界に適用し、外部からのフィードバックを得ることでさらに高度化する循環を創出しているのである。「ものづくりプラットフォーム」展開を通じて、自社ものづくりの高度化や競争力強化を行い、そのことによりさらに外販事業であるものづくりプラットフォームの競争力も強化される。このようなサイクルを生み出していくことが日本のものづくり企業としては重要になってくる。

5つの方向性

それでは、日本企業による「ものづくりプラットフォーム」展開としてはどのような方向性があるのだろうか。その方向性は大きく「何の技術・ノウハウ」を提供するのかといった観点で5つの方向性に分かれる。

①【製品設計・コア部品】設計・開発力を活かし製品コンセプト・コア部品を異業種も含め展開する

②【生産技術】生産技術力を活かし顧客製造業のライン設計・構築を支援

③【ケイレツ・サプライチェーン】ケイレツ間データ統合ＩｏＴプラットフォームを展開しケイレツ外にも外販、もしくは、サプライヤー品質評価のノウハウを活かし生産シェアリング・マッチングを展開

④【工程・現場ノウハウ】各工程の熟練ノウハウをデジタル化・機器化し外販展開

⑤【製造能力】製造能力を活かし製品設計レベルから他社ものづくりを支援

それを示したのが図表22である。従来の顧客に対するアウトプットとしての「製品・サービス」での事業とともに、そのプロセスで蓄積されている技術・ノウハウをサービス化し、他ものづくり企業を支える「ものづくりプラットフォーム」として展開するのである。その結果として自社ものづくりの競争力強化にもつなげていくのだ。

本書においてはそれぞれのパターンのものづくりプラットフォーム企業として、下記の企業の先行事例に触れたい。次章以降で、何のノウハウ・技術を売るのか、といった観点での大分類の中で、日本企業の先行事例とそこから得られる示唆の紹介を行う。

図表22●ものづくりプラットフォームの構造

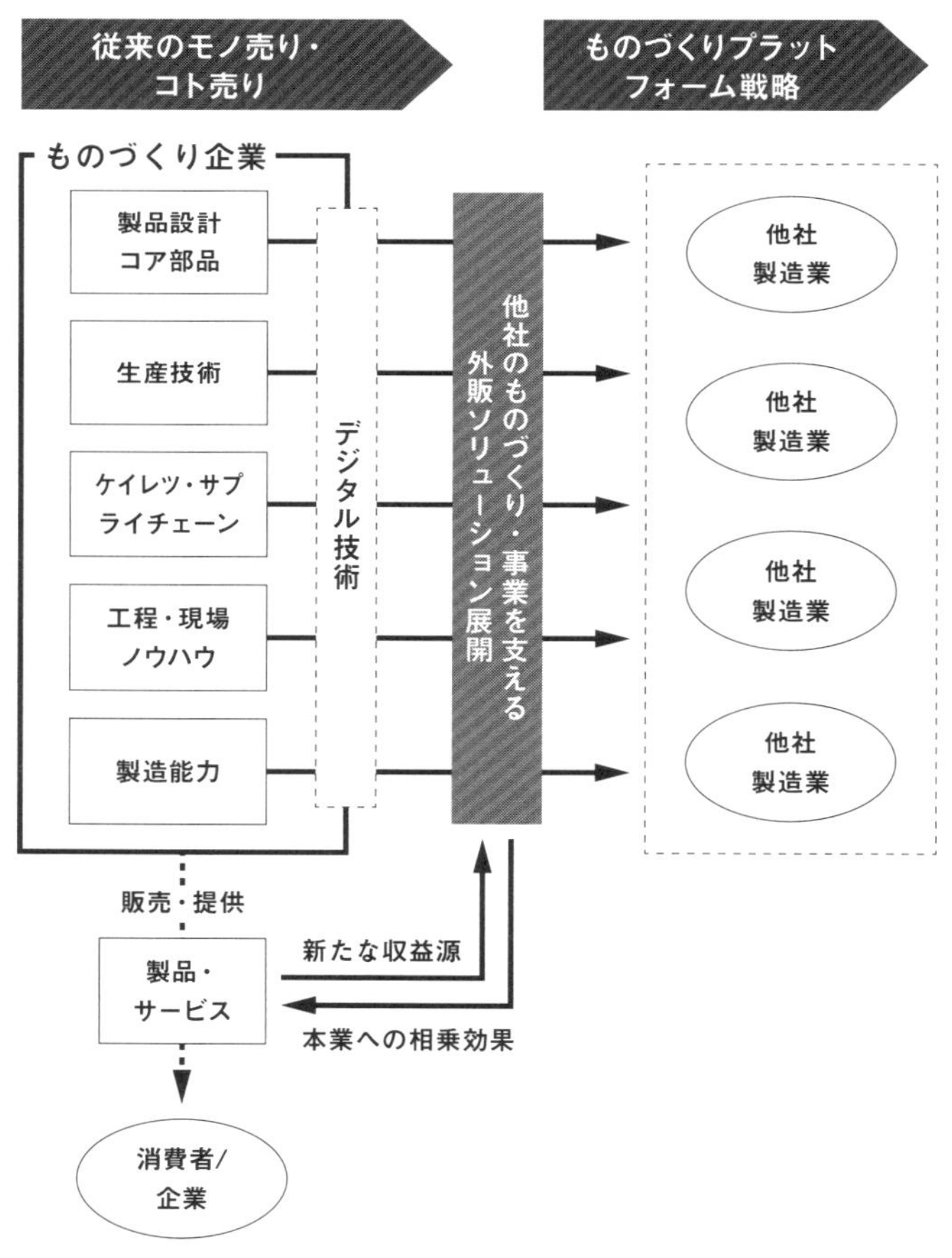

（1）製品設計を売る：

・トヨタ自動車（水素自動車のコア部品技術をもとに同業・異業種のものづくりを支援）

・ソニー（自社製品のコア技術を他社・異業種へ外販するソリューションビジネスを展開。自社設計ノウハウをデザインコンサルとして提供）

（2）生産技術を売る：

・デンソー（自社ものづくりで培った生産技術を活用したものづくり／ライン教育・コンサルティングをＡＳＥＡＮで展開）

・日立製作所（大手ラインビルダーのＪＲオートメーションを買収し、自社製造技術・ノウハウやＩｏＴ基盤を活用しラインビルディング事業展開）

（3）ケイレツ・サプライチェーンネットワーク・管理ノウハウを売る：

・コニカミノルタ（マレーシアにおいてサプライヤーをデジタル接続するデジタルケイレツを展開）

・日本特殊陶業（生産シェアリングプラットフォームの「シェアリングファクトリー」を展開）

図表23●本書で紹介する「ものづくりプラットフォーム展開企業」

<table>
<tr><th>何を売るのか</th><th>展開パターン</th><th>概要</th><th>#</th><th colspan="3">企業例</th></tr>
<tr><td>(1) 製品設計・コア部品技術</td><td>コンセプト・モジュールメイカー</td><td>設計・開発力を活かし製品コンセプト・コア部品を同業や他業界へ売る</td><td>1</td><td>トヨタ</td><td>ソニー</td><td>パナソニック</td></tr>
<tr><td rowspan="2">(2) 生産技術</td><td>ものづくり教育・コンサル</td><td>生産技術・ノウハウを活かしものづくり教育や、コンサルティングを展開</td><td>2</td><td colspan="3">デンソー</td></tr>
<tr><td>ラインビルダー</td><td>生産技術力を活かし顧客製造業のライン設計・構築までを支援</td><td>3</td><td colspan="3">日立製作所</td></tr>
<tr><td rowspan="2">(3) ケイレツ・サプライチェーン</td><td>デジタルケイレツ</td><td>自社・サプライヤーをつなぐIoTの仕組みを展開し、サプライチェーン外にも展開</td><td>4</td><td colspan="3">コニカミノルタ</td></tr>
<tr><td>生産シェアリングプラットフォーム</td><td>サプライヤー管理ノウハウを活かし生産シェアリング・マッチングを展開</td><td>5</td><td colspan="3">日本特殊陶業</td></tr>
<tr><td rowspan="2">(4) 工程/現場・業務ノウハウ</td><td rowspan="2">工程プラットフォーマー</td><td rowspan="2">各工程の熟練ノウハウをソフトウェア化・機器化し外販展開</td><td>6</td><td colspan="3">武蔵精密工業</td></tr>
<tr><td>7</td><td colspan="3">ヒルトップ</td></tr>
<tr><td rowspan="2">(5) 製造能力</td><td>コンサル型EMS</td><td>製造能力・設計能力を活かした、製品設計レベルから他社ものづくりを支援</td><td>8</td><td colspan="3">VAIO</td></tr>
<tr><td>インキュベーション型ものづくりプラットフォーム</td><td>自社製造設備・能力を活用しスタートアップをインキュベーション</td><td>9</td><td colspan="3">浜野製作所</td></tr>
</table>

（４）工程・現場ノウハウを売る：

・武蔵精密工業（搬送・検査工程の課題解決を図る機器・ソリューションをイスラエルＡＩ企業との合弁会社を通じて外販）

・ヒルトップ（24時間稼働の生産プロセスを確立し、他社試作・開発支援事業を展開。自社生産管理システム「ヒルトップ生産システム」を外販）

（５）製造能力を売る：

・ＶＡＩＯ（ＰＣ製造の技術を活かしロボット・ドローンなど他社製造を支援）

・浜野製作所（自社製造設備・能力を活用しスタートアップをインキュベーションするガレージスミダを展開）

第4章

パターン①

製品設計力・コア部品技術を売る

本章においては、ものづくりプラットフォームのうち、「製品設計力・コア部品技術を売る」方向性について紹介したい。日本企業はカテゴリ自体を一新する破壊的イノベーションは苦手とされるものの、同一カテゴリーにおけるたゆまない技術革新を強みとしてきた。古くはウォークマンやVHS、世界初の量産型EV（三菱自動車のアイミーブ）、直近ではリチウムイオン電池、ハイブリッド車、水素自動車などを生み出してきた。競争環境の変化により、相対的に日本の製品の勢いは低下してはいるものの、たゆまない技術改善を通じてよりよいプロダクトを生み出す力は日本企業の強みとしてデジタル時代にも残っている。

これらの技術・ノウハウを活かした自社設計品の製造・販売・サービスを行い収益を得ていく既存の戦い方とともに、製品設計技術・ノウハウを他社製造業へ提供することを通じて効率的に収益・価値増大につなげていくことも必要となる。

先述のベトナムのビンファストの事例におけるBMWがその位置づけの一例となる。彼らは自社市場において展開力が落ちている以前の型番の製品ライセンスを新興国企業に提供することで再度収益の回収を図っているのだ。また、電気自動車（EV）領域においては、コア部品や、プラットフォームと呼ばれる車の基礎部分を同業や異業種に外販する動きが活発化している。

図表24●製品設計力・コア部品技術を活かしたものづくりプラットフォーム

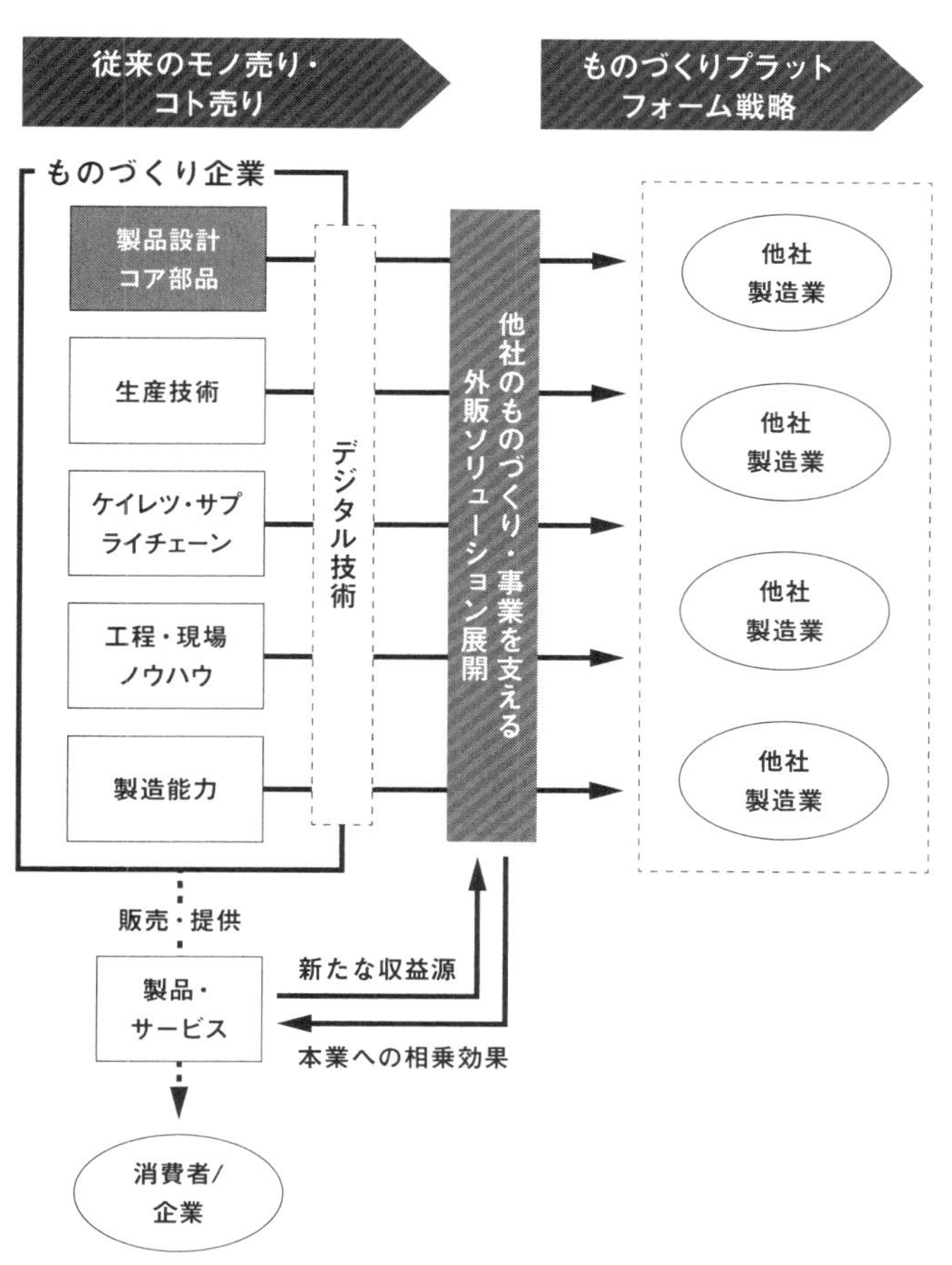

GMはホンダにEVプラットフォームを提供するとともに、ドイツのフォルクスワーゲンはEVプラットフォームをグループ内だけでなく外部企業への提供を発表し、米国自動車メーカーのフォードや、スタートアップへの提供を開始している。テスラが他社にEVプラットフォームや自動運転技術の外販を図ろうとしているが同様の戦略だ。

コア設計やコア部品技術は、自社の競争力の源泉であるものの、その技術の活用を自社事業にとどめてしまうと収益回収は限定的になってしまう。また日本企業は新規事業や、R&Dの一環で多くの技術を開発・保有しているものの、大企業の事業評価やリソース配分の観点から、社内だけでは事業化・活用しきれていないケースも多い。それを他社への展開を通じて効率的にマネタイズ・収益回収を図り、さらには外部への展開を通じたフィードバックをもとにさらなる競争力強化を図るのだ。

本章では、設計力・コア部品技術力を売る先行事例としてトヨタ自動車、ソニーの取り組みを紹介する。

1 トヨタ自動車——水素自動車、コア部品モジュール販売

旧来型自動車メーカーからの脱却

トヨタは豊田章男社長による「自動車をつくる企業からのフルモデルチェンジ」の号令のもと、デジタル化の中での変化を捉え、製品を作るメーカーから価値提供のシフトを行ってきている。ＭａａＳをはじめとするモビリティサービスや、ウーブン・シティなどのＣＡＳＥ・スマートシティといった自動車のあり方の変化に対応したプラットフォームが目立つが、自社のものづくりノウハウ・技術を活用した「ものづくりプラットフォーム」も積極的に展開している。

古くは、自社生産技術を「トヨタ生産方式」として標準化し、サプライヤーをはじめとした他社に対してコンサルティング・生産指導を行ってきた。それとともに、近年では素材開発のシミュレーション技術をはじめ自社技術・ノウハウの外販事業に今まで以上に積極的に取り組んでいる。

本章のテーマである、製品設計力を活かしたものづくりプラットフォーム戦略という観

図表25●トヨタの主な他社支援ビジネス

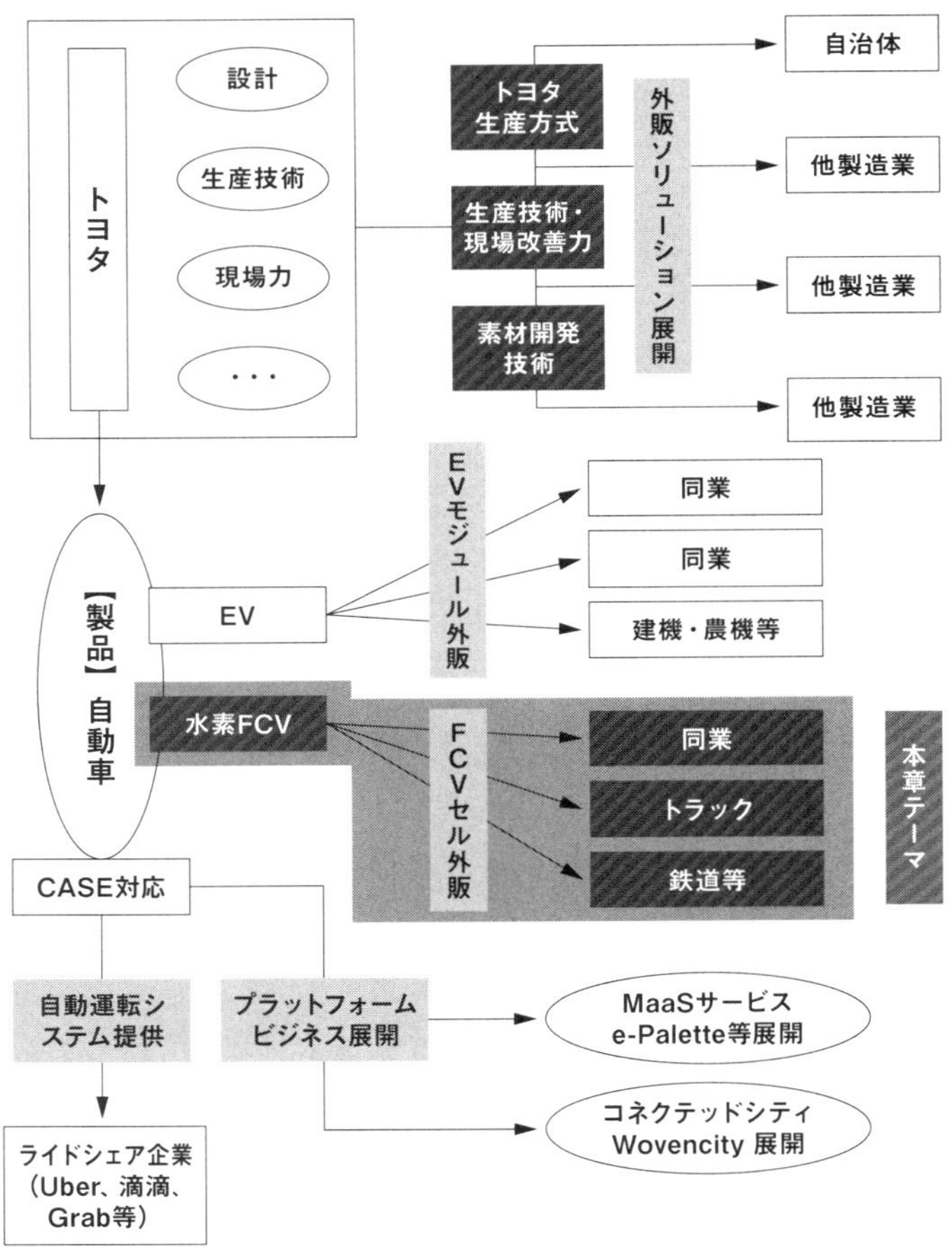

点では、電気自動車（ＥＶ）や、燃料電池自動車（ＦＣＶ）のコンセプト、コア部品をもとにした外販展開を取り上げたい。特に、ＦＣＶについてはトヨタがコンセプトから世の中に提唱し、その設計・構想力を活かして同業だけでなく他業界も含めた製造業を支えるビジネスへと広げている。

トヨタは世界初の量産型水素自動車としてミライを２０１４年に発売しているが、そのコア技術モジュールを他社・異業種に外販することを発表している。ＦＣＶ関連特許の無償提供からより踏み込んだ戦略である。他社自動車メーカーとともに、鉄道や船舶などの他領域も含めての外販を図っている。ＥＶ技術についても、２０１９年４月に副社長の寺師茂樹氏が「電動化技術のシステムサプライヤーになる」と、モーターや２次電池、ＰＣＵ（パワーコントロールユニット）などを他の自動車メーカーに供給する意向を表している。

「何を売るのか」を考える

上記のトヨタの水素自動車のコア技術外販展開のように、コア部品技術を外販し、同業や異業種のものづくりを支えていくアプローチにおいては下記の論点が存在する。

図表26●コアモジュール外販において想定される論点（例：トヨタFCV外販）

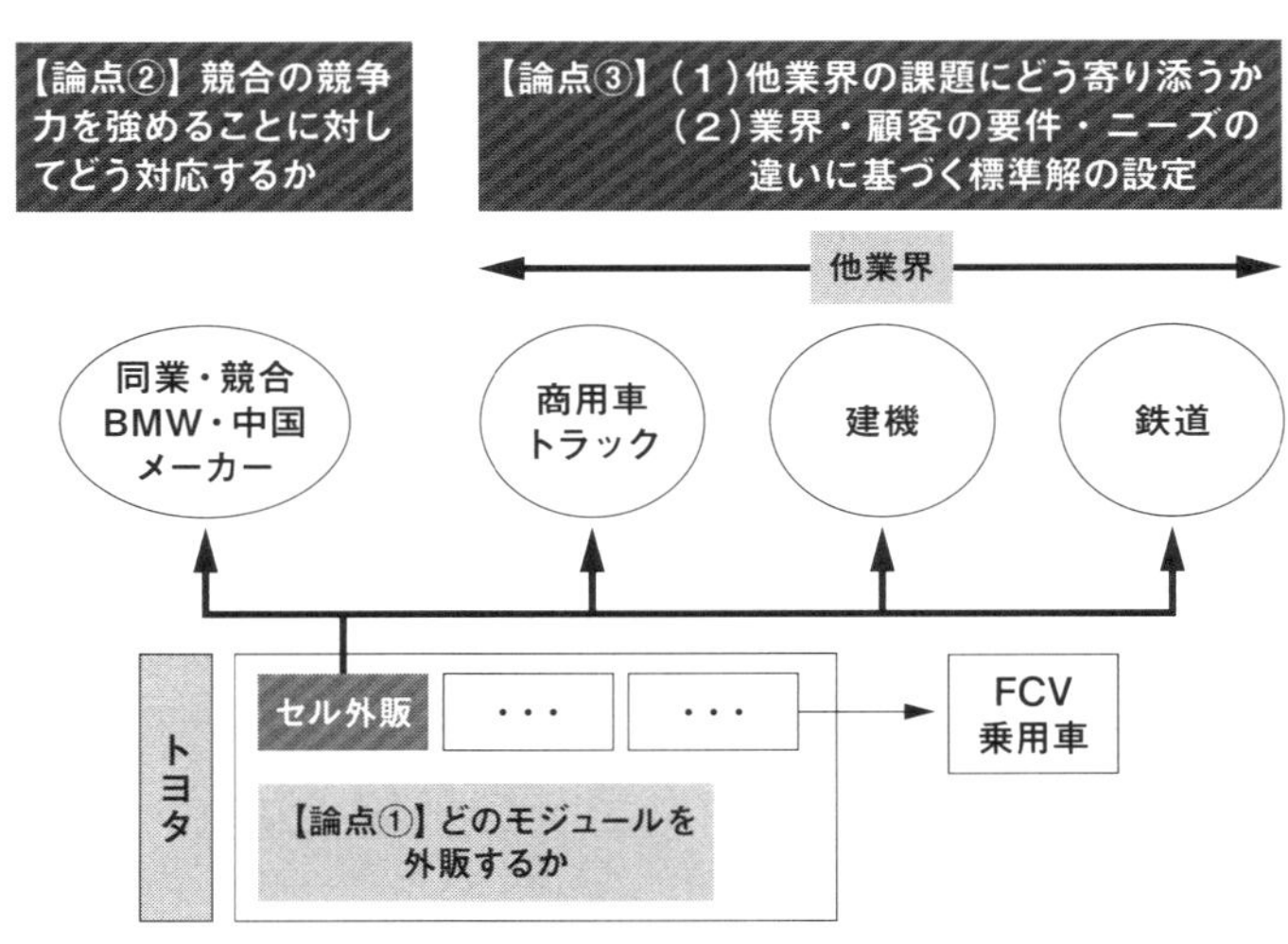

①どのモジュールを外販するか

②同業（競合）に外販し自社の競争力が失われないか

③異なる特性の他業界展開をいかに行うか

まず「①どのモジュールを外販するか」の論点であるが、念頭に置かなければならないのが、他社が価値を得られる単位での部品の提供と、自社のコア競争力をブラックボックス化するバランスを図ることが重要となる。

次に「②同業（競合）に外販し自社の競争力が失われないか」の論点としては、競合に売る際には、コアとなるモジュールを他社に外販するにあたって、市場の段階によって観点が異なる。（a）市場形成・仲間づくりが求められる段階と、（b）市場形成後で競争環境が成立している段階である。それぞれについて記載する。

・（a）（同業への展開）市場形成が必要となるパターン

これはトヨタにおけるＦＣＶやＥＶにおけるアプローチのように、ユーザーや提供企業が増えなければ充電インフラが整備されず、インフラが整備されなければユーザーや提供企業が増えないという構造となる。そのためトヨタが行っているように、競合も含めて広くコアコンポーネントを提供し、まずは参入するプレイヤー、仲間づくりを行っていく必要があるのだ。

・（b）（同業への展開）市場形成後のパターン

市場形成がすでに図られているケースにおいても、コア部材の外販・展開拡大は、部材を通じた新たな収益を得ていく点、部材のコストを下げていく点でも重要な戦略となり得る。その際には、コア部材の外販による自社のコア事業の破壊は当然ながら防ぐ必要がある。トヨタのＦＣＶの同業外販先のＢＭＷのように、地域カバレッジが完全に重なっていないことや、中堅・新興企業などで量産ボリュームとして自社の脅威にならない企業を見定めて提供を行っていく必要がある。

最後に「③異なる特性の異業種にいかに展開していくか」である。他業界の課題や用途に合わせた開発や提案が必要となり、自社製品での活用に照準を合わせて開発を行ってきている日本企業にとっては、壁が存在する。

1点目が他業界へ外販を図っていくうえでは、それぞれの業界で必要な仕様・機能があり、それらに沿った開発やサービスの提供が求められる、ということだ。これは顧客の求める技術や品質に応じて技術開発を行ってきた日本製造業にとっては強みを持つ領域であるが、それが故に2点目の業界・顧客の要件・ニーズの違いを踏まえた「標準解」の設定が課題となる。業界や企業ごとに異なる要件にすべて寄り添った開発を行うとコスト高になり、外販するメリットを享受できない。

そのため、いかに共通部分を見定め、引き算で寄り添いすぎない意思決定を行うかも重要となる。日本企業としては要件に寄り添い限界までカスタマイズ、つまり「足し算」することに強みを持ってきた。この強みを活かしつつも、どのレベルで「標準解」を定め、コスト面でも競争力のある標準商材とするのかといった「引き算・因数分解」の要素を組み込んでいく必要があるのだ。

2 ソニー／パナソニック――設計・構想力を活かす

設計・構想力を活かしたものづくりプラットフォーム展開としては、上記トヨタ自動車に加えて、ソニーが積極的である。カメラで培ったコアモジュールであるセンサー技術を他カメラメーカーや、スマートフォン、自動車・ロボットなど幅広い領域に展開して世界シェアトップとなっていることはご存じの通りである。

その他、スマートウォッチ製品において、ユーザーのデジタル体験の肝となるバックル部分を外販して、シチズンなどの大手時計メーカーとの共同開発を実施している。さらには自社の設計力を活かしたソニーデザインコンサルティングを設立、自社ものづくり技術を活かしたＥＭＳ（製造受託）事業を展開している。

自社の先端製品で勝負を行うビジネスモデルとともに、それを土台に開発した技術・ノウハウを通じて、業界のプラットフォーマーになる戦略の両輪を回す「ものづくりプラットフォーマー」へとシフトしている。

図表27●ソニーによるものづくりプラットフォーム展開

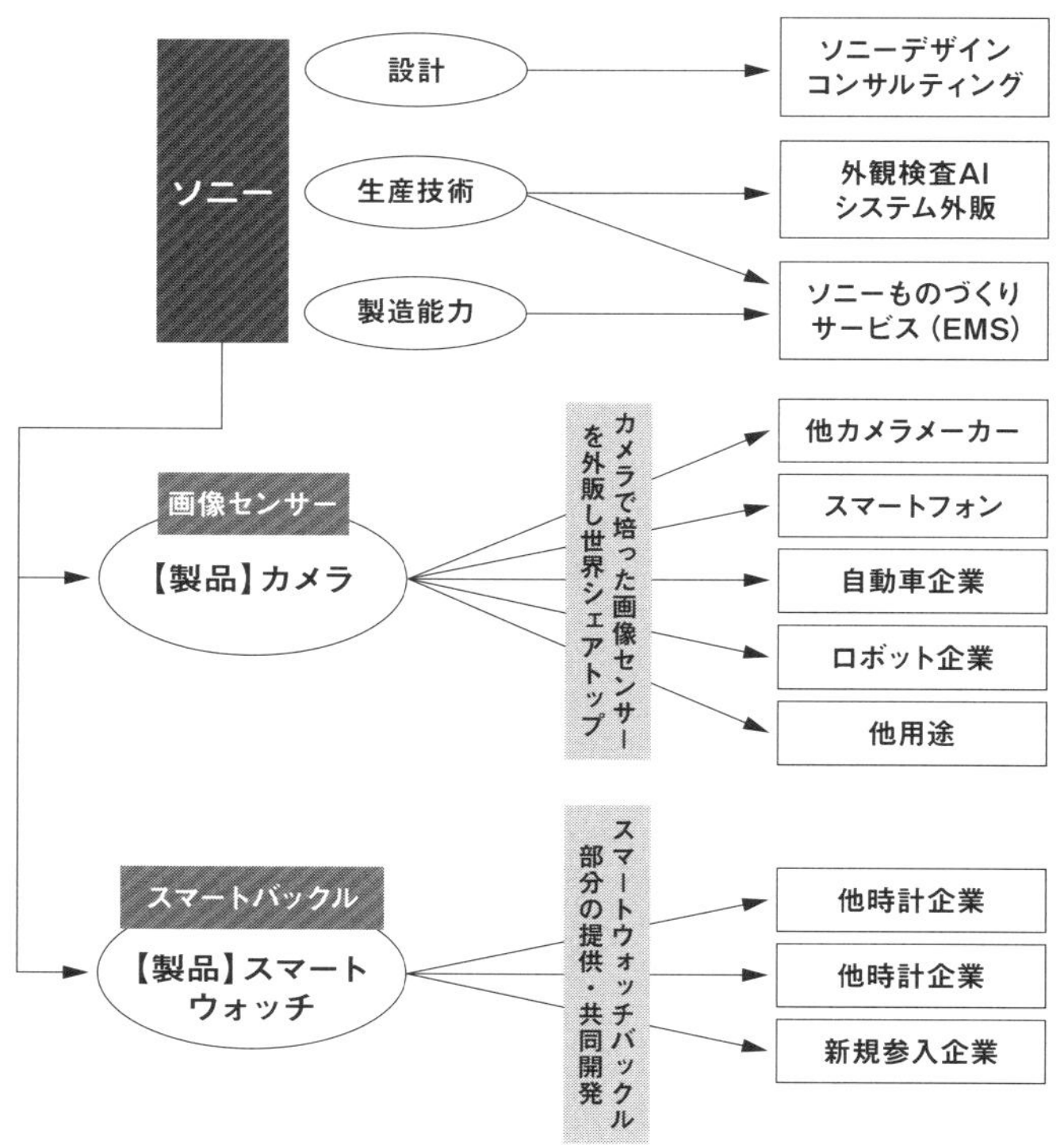

パナソニックは自社で活用しきれない開発技術・知財の事業化を図るビーエッジ(BeeEdge)を日系VCのスクラムベンチャーズと設立しているほか、自社家電で開発したナノイー(微粒子イオン)発生技術を、鉄道・自動車メーカー・病院・不動産などへと外販している。また、半導体メーカーのルネサスエレクトロニクスは、自社での製造のみならず設計情報を異業種・同業へ外販し収益を得るモデルを取り入れている。

3 製品のためのライン従量課金プラットフォーム展開

技術流出、キャッチアップを防ぐ

トヨタやソニーの事例はコア部材技術としての外販(図表28①)であるが、今後さらには「最終製品自体」を外販していくモデル(図表28②)も想定される。最新モデルについては競争力の源泉としての自社が販売していく形になるが、モデルチェンジを経て自国市場での販売拡大が見込めない旧モデルについては、新興国企業などの他社に対して外販することによる利益の回収を図っていくことも一手である。

図表28●製品技術力を活かしたものづくりプラットフォームのさらなる展開

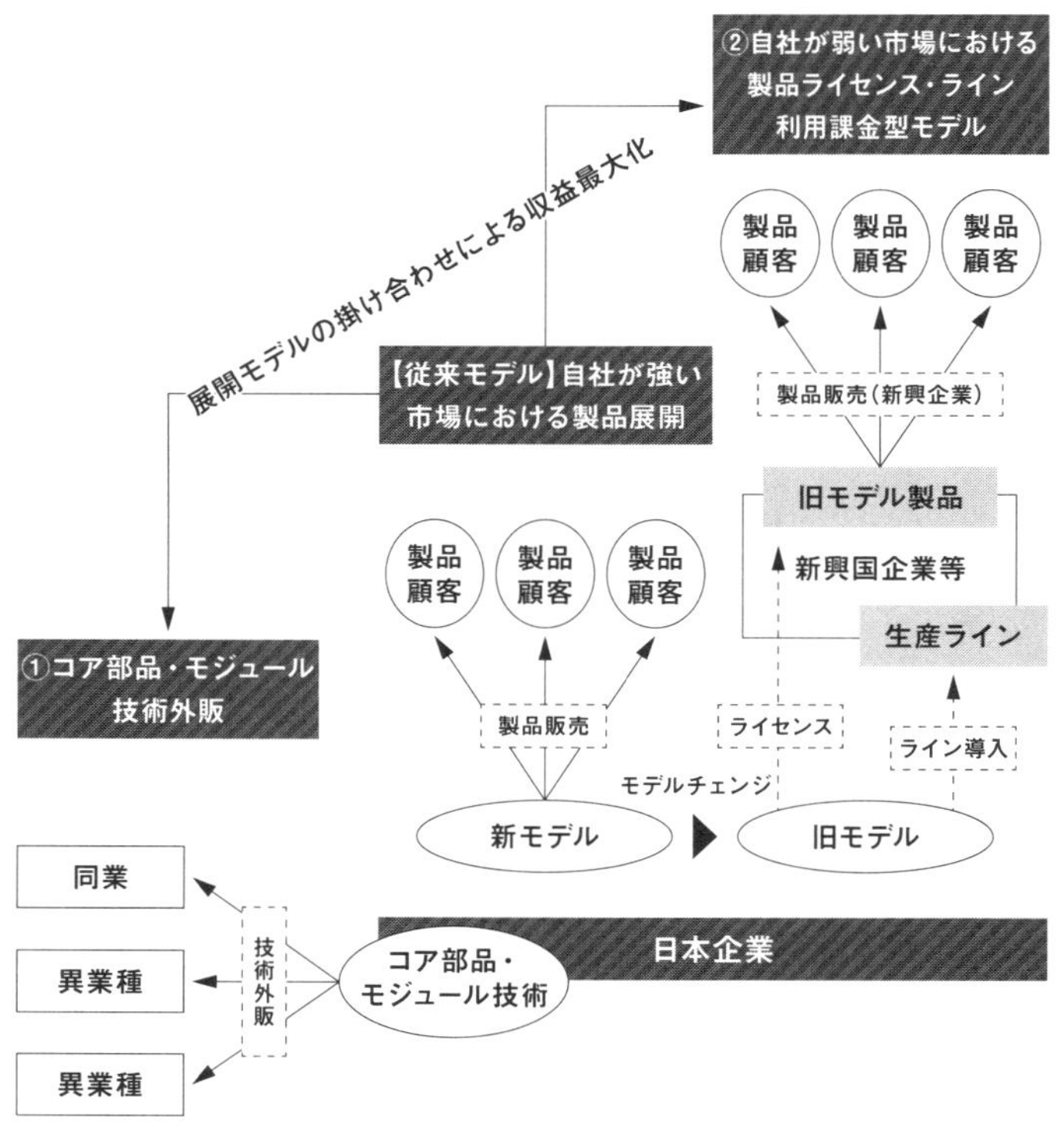

先述のビンファストの例においては、ＢＭＷが自社が強みを持つ市場では販売や収益回収が難しくなっている旧モデルをビンファストにライセンス提供することで収益を得ている。

ここで留意しなければならないのが、単に旧モデルをライセンスするのみであれば、技術の流出・キャッチアップが進んでしまい、自社の脅威となる競合を作ることにつながり、本業を圧迫しかねない。従来のやり方で現地合弁会社・パートナーが技術をキャッチアップし競合となったケースは枚挙にいとまがない。そのため、次の2点について留意する必要がある。

まず1点目が、上記部材提供時と同様に、ライセンス先としては注力市場が重なっていない企業や、量産規模・販売規模として自社の脅威とならない企業を見定めて提供する必要がある、ということである。それとともに、2点目は提供スキームとしてデジタル時代に合わせた展開モデルで技術流出を防ぐことである。

たとえば、旧モデルの製造ライセンスを付与する際、指定のラインを使用している条件下での製造に限定する。その指定ラインは自社ラインの技術・ノウハウを設備・システムとしてブラックボックス化し導入支援する。提供先はラインの活用・オペレーション方法のみが共有され、なぜその製造ライン・工法が最適なのかといったラインの構築の考え方や、ものづくりのコンセプト、技術力・ノウハウの本質の流出を防ぐことができる。これにより、外販収益の確保と、ノウハウの流出阻止を両立するのである。

あるいは、製品設計のテンプレートを提供し、あるパラメータのみを提供企業が調整できるようにし、なぜそのテンプレートになっているのかの本質ノウハウはブラックボックス化することも考えられる。技術・ノウハウのソフトウェア化による効率的な新興国へのスケール・収益化とブラックボックス化は、まさに先述の通りインダストリー4・0においてドイツが取り組んでいるコンセプトであり、日本としてうまく取りこんでいく必要がある。

課金モデルの2つのパターン

その上で、課金モデルとしては、下記のパターンが想定される。

①フルターンキーでライン構築を行い、導入費を得る（導入時点収益）

②生産量に応じてライン使用料を得るリカーリングモデル（導入時点収益と、オペレーション時リカーリング課金の組み合わせ）

このモデルのうち①は次章で触れる自社生産技術力を活かしたラインビルダー展開につながることにもなる。ラインビルダー展開を本格的に行うとなると、幅広い業界顧客の工程・ニーズ・要件に合わせた展開が求められ、それに向けたノウハウの強化が必要となる。自社が構想・改善を行ってきた旧モデルラインを外販提供対象の新興国企業に対して提供することからラインビルダー展開の第一歩を行うことも一手である。

その過程で、自社専用に特化したラインを他社であっても活用できる形で標準化を図るとともに、属人化している技術・ノウハウをシステム化してブラックボックス化を図っていくのである。収益タイミングとしては、他社ラインビルダー同様にライン導入時にフィーを得るとともに、メンテナンス・サービスにおいて継続課金を得ていくモデルとなる。

また、他社外販で収益を得ていくモデルとしては、②の生産量に応じて成果報酬型で課金を行っていくことも有効である。アマゾンや楽天、ウーバーなどのプラットフォーマーが自社ＥＣ基盤を活用したビジネスで収益を得たうちの割合をプラットフォーム使用料として課金をしているが、そのものづくり版である。自社として旧モデルの製品の製造のためのライン基盤を新興企業に提供し、それを活用した事業活動に対して課金を行うのである。

ドイツのロボットメーカーのクカが従来のロボット等機器の販売とともに、製造ライン

図表29●設計力を活かしたものづくりプラットフォームの地域別展開

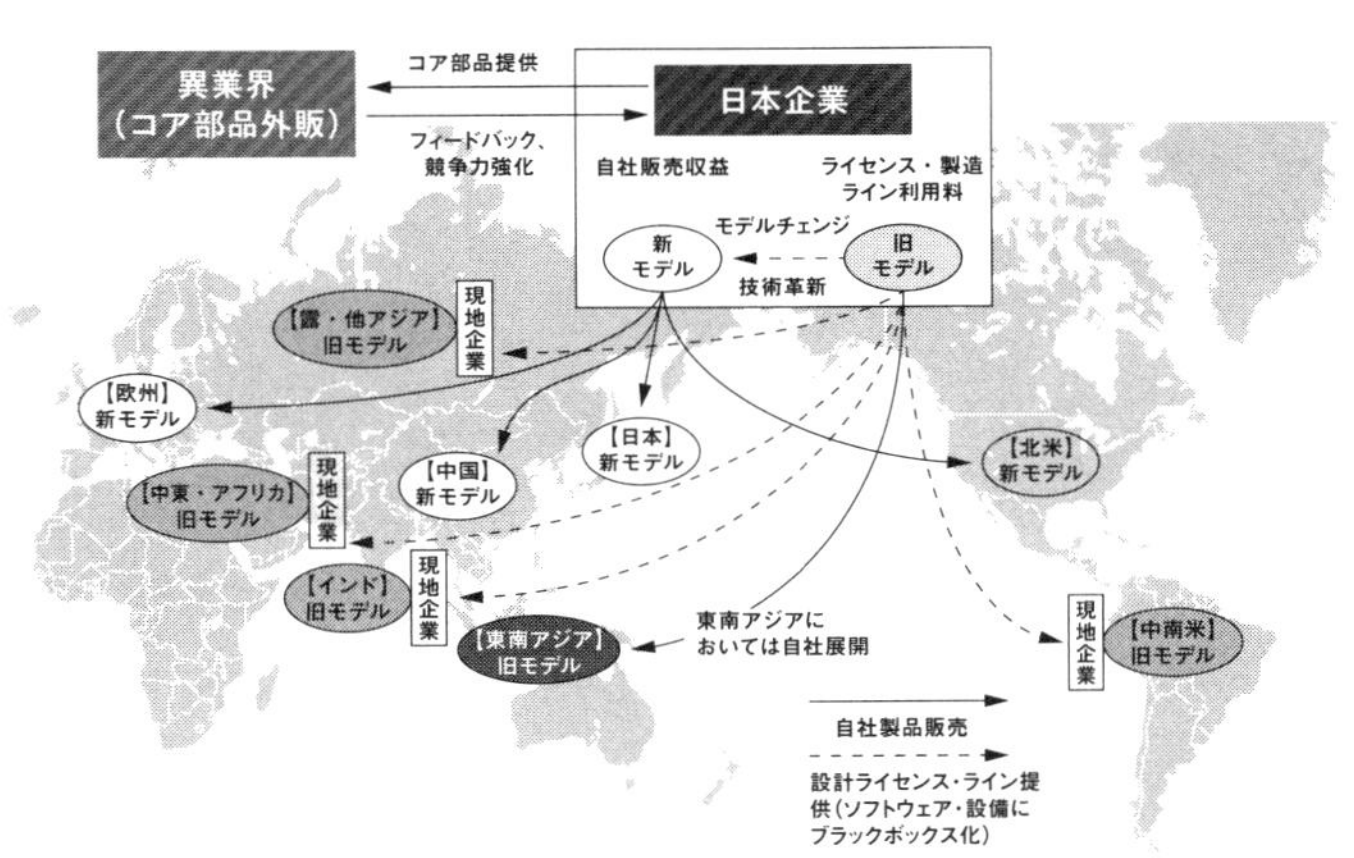

を構築し、生産量やラインの利用状況に応じた課金モデル（Smart Factory as a service）も展開しているが、これと同様の戦略である。競争力のある製品・製造ラインを生み出す技術・ノウハウに強みを持つ日本企業として、これらをデジタル時代に合わせた収益モデルを活用して効率的にスケールを行っていくことが求められる。

3つの方向性を組み合わせる

上記を含めて、製品カテゴリー・企業が持っている地域の強さによって異なるものが、一般的な日本企業として設計・構想力を活かした「ものづくりプラットフォーム」展開の今後のあり方のイメージを図表29に示している。

日本・北米・欧州・中国市場などの先端プロダクトが求められる市場においては、自社の設計・技術力を結集した製品展開を行う。収益モデルとしては従来と同様競争力のある製品をもとにした販売である。これとともにプラットフォームビジネスなどデジタルサービスとの掛け合わせが重要になる（詳細は拙著『日本型プラットフォームビジネス』を参照いただければ幸いである）。

そのうえで、自社では市場ポジションを形成しきれない新興国市場、たとえばインド・中東・アフリカ・南米といった新興国においては、旧モデルなどの自社の設計・製造ラインを現地企業に提供し、他製造業へのリカーリング課金を通じて利益の獲得・再回収を行う。企業によっては欧州は地域カバレッジとして弱いケースも多く、同様に欧州は自社による製品展開ではなく、現地企業への「ものづくりプラットフォーム」展開を主とすることも想定される。加えて新興国市場の中でも、東南アジアは他新興国と異なり日本企業として強い基盤を有している企業が多く、自社で製品展開を行っていく戦略がより効果的となるケースも多いと想定される。

以下①②③の組み合わせによる展開を通じてこれからの日本製造業が、デジタル×ものづくり技術で競争力のある事業へ転換していくことが期待される。

①コア部品技術の他社・他業界外販を通じた新規収益獲得、量産効果によるコスト低減・他業界用途対応を通じた自社ものづくりの競争力強化を図る

②自社が強みを持つ市場では販売や収益回収が難しくなっている旧モデルの設計・製造ラインを、技術・ノウハウをブラックボックス化した上で現地企業に展開し、その製品ライセンスや製造基盤の利用課金で収益再回収を図る

③上記を通じてリソースシフトを図り、デジタル技術を合わせた先端技術開発（自動車：CASE対応など）を行い競争力のある製品・サービスを展開する

第5章

パターン②
生産技術力を売る

1 4つのアプローチ

日本企業の競争力の源泉

続いて生産技術力（製造ライン・工程設計力）を売るパターンである。従来、生産技術力は日本のものづくりの大きな根幹を支えてきた。先述の通り欧米の企業においては、外部企業であるラインビルダーを活用することも多いが、日本企業は競争力の源泉として自社で生産技術部門を中心によりよいものづくりを実現するためのライン構想・設計の技術・ノウハウを蓄積してきたのだ。

また欧米企業では設計部門側でものづくりのプロセスや、製造工程をある程度規定し、それに従って外部企業活用も含めて生産ライン構築・製造が行われる流れに対して、日本企業は生産技術部門が、製品設計・開発段階から部門横断で知恵を出し合い「すり合わせ」を行うことで競争力のあるものづくりを実現してきた。

生産性をコンマ1秒でも向上できる、または現状よりもさらに品質を向上できるラインのあり方を考え抜き、ライン改善を行ってきている。

図表30●生産技術力を活かしたものづくりプラットフォーム展開

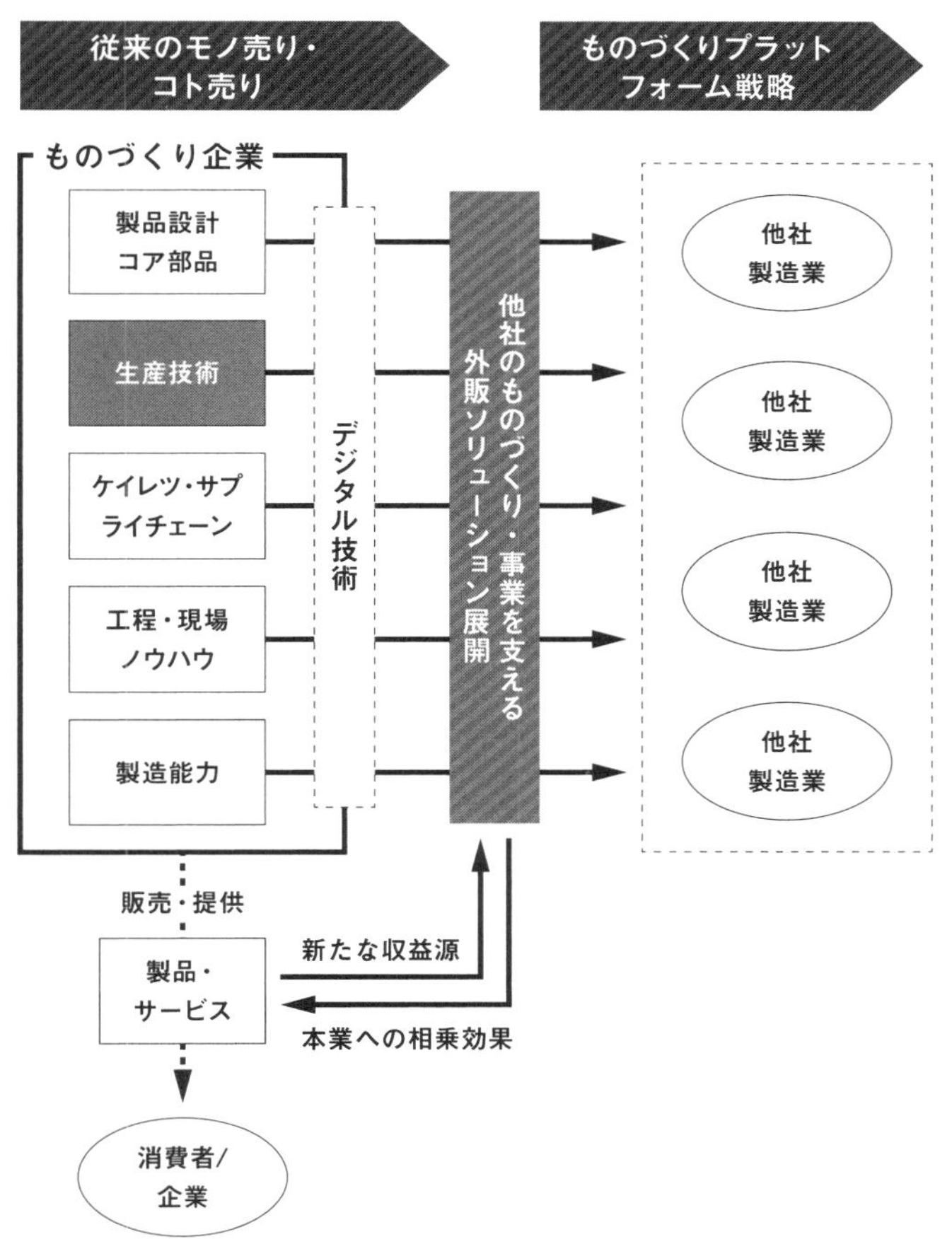

たとえば後述するデンソーにおいては、独自の生産技術で大型加工機をメーカーと共同開発し、従来の半分以下の大きさに小型化することで生産性・エネルギー効率・スペース効率を大幅に向上させる「1／Nライン」を展開するなど、日本企業は試行錯誤の中で絶え間ない生産技術の高度化・改善を図ってきている。

先述のとおり、新興国製造業の立ち上がりや、デジタル技術・外部企業の活用により「買い物」で製造業に参入する企業が出てくる中で、これらの日本企業のノウハウの展開余地は大きい。あるべきものづくりの検討と、ライン構築を支援するラインビルダーとしての展開が期待される。生産技術を売るアプローチとしては下記の４つの方向性が存在する。

（1）ものづくり教育・コンサルティング展開

日本企業がものづくりで培った生産技術・現場改善力を活かして他社を支援するものづくり教育やコンサルティングを行うモデルである。

収益源としては教育・コンサルティングフィーである。新興国・新興企業においては日本製造業の現場で培った技術・ノウハウへの期待が大きい。

これら教育・コンサルティングを通じて企業の課題・ニーズを把握することで、中長期

図表31●生産技術力を活かしたものづくりプラットフォームのパターン

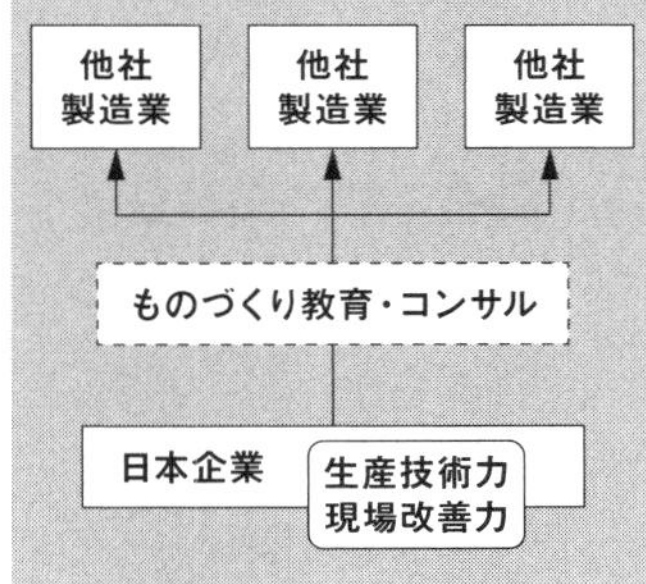

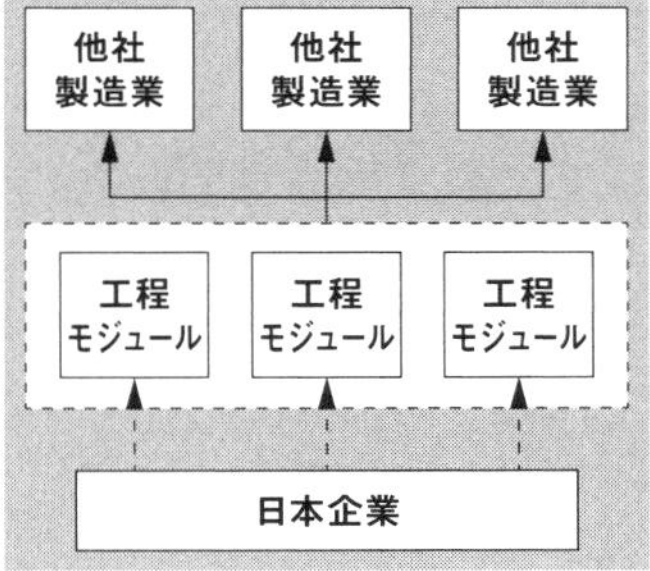

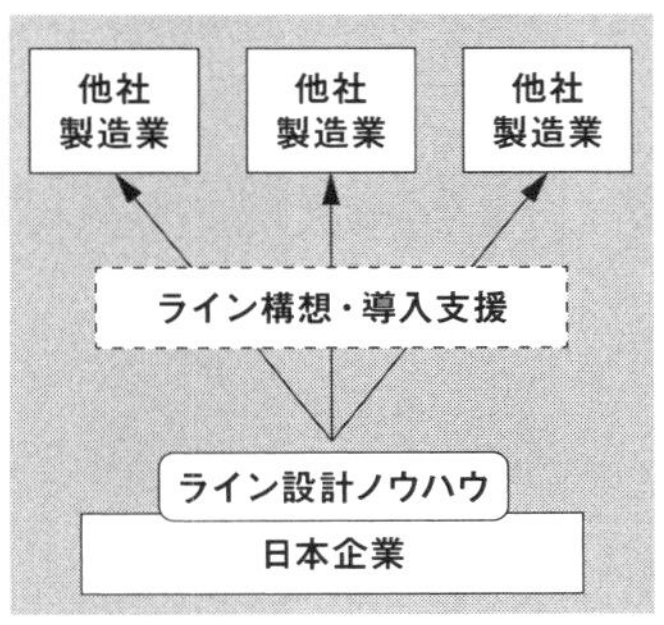

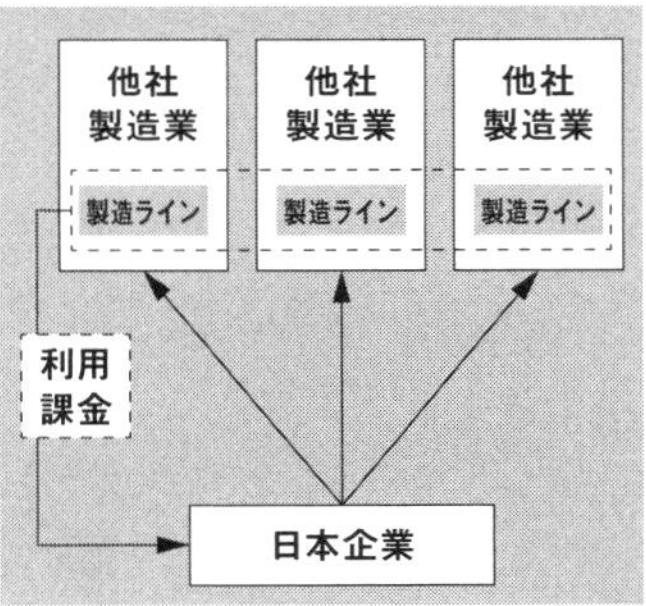

でのものづくり支援商材開発にもつながってくる。

（2）標準ラインモジュールの外販

日々のものづくりプロセス改善活動の中で生まれたラインモジュール（搬送・在庫管理・検査・加工工程など）を外販する。収益源としては、ラインモジュールの提供と、インテグレーション費用、導入後のメンテナンス費用である。

（3）ラインビルダー展開

生産技術力を活かし他社の生産ライン構築を支援するラインビルダー展開を行う。顧客に対する製造ラインの設計・エンジニアリング－機器調達－据付・試運転・教育・メンテをフルターンキーで実施する。収益源はライン構想・導入サービスと、そのメンテナンスである。

（4）構築ラインのサービス型課金

他社製造業に対して、ライン構築を実施し、ライン導入時ではなく利用型で継続課金を実施する。収益源は、生産量やライン稼働時間等の製造ラインの利用課金である。

これら生産技術力を効果的に他社展開している先行事例としてデンソー、日立製作所の事例を紹介する。

2 デンソー　インダストリアルソリューション事業部による展開

ユーザー視点からの提案

ものづくりで培った生産技術力を効果的に他社展開しているのが世界大手の自動車部品メーカーのデンソーだ。同社は1949年の創業から自動車部品の多種多様なものづくりで培った生産技術を標準化し、他社ものづくりを支えるFA事業部を2017年に設立（2021年にインダストリアルソリューション事業部へ変更）し、展開を強化している。

従来、自社ものづくりの高度化の中で生まれたロボット技術を1991年に外販開始し、関連会社を立ち上げ活動してきた動きをさらに加速する流れだ。ロボットとともに、現場

図表32●デンソーFA事業部による展開

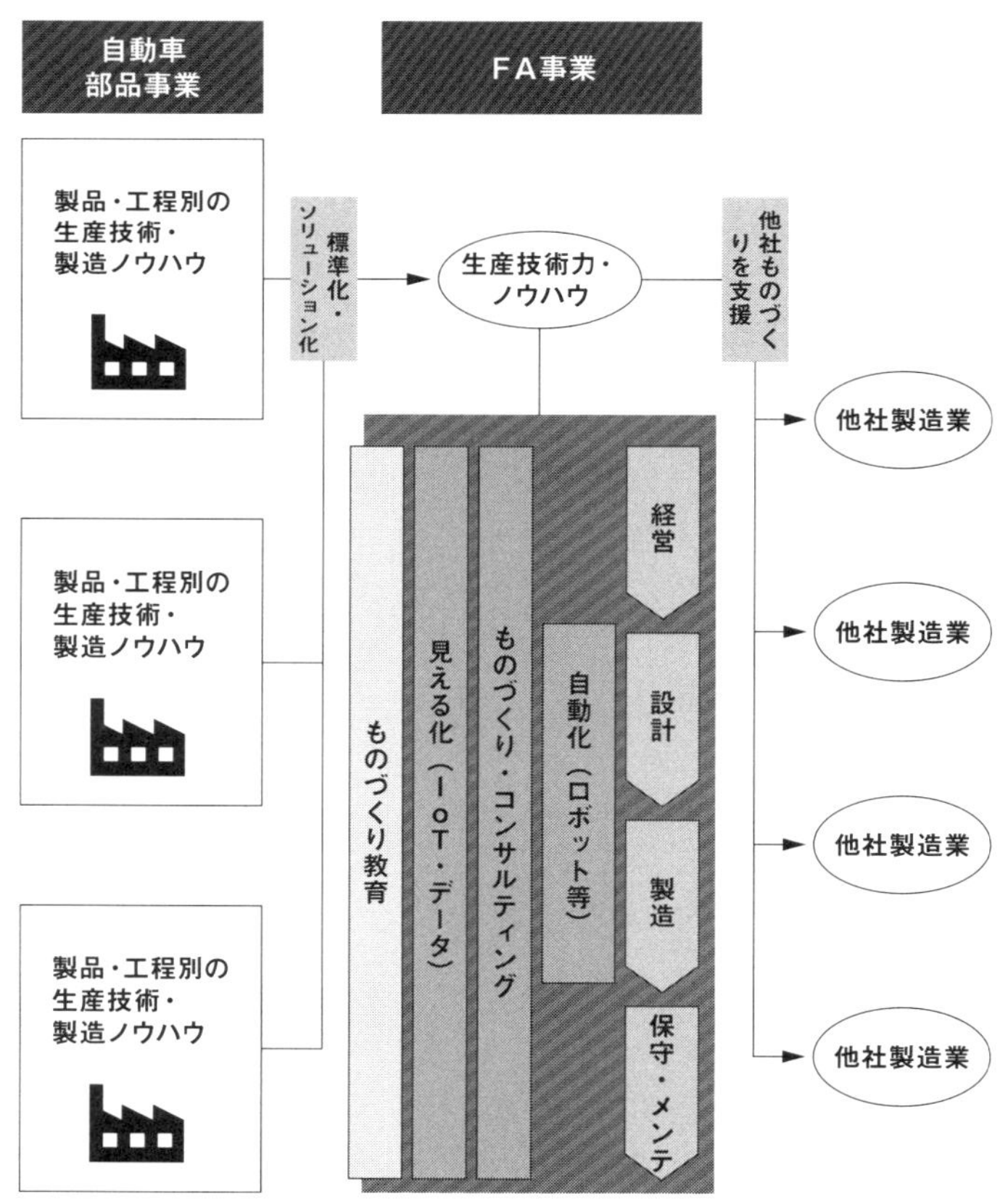

の情報管理を行っていくためのＱＲコードや、世界中の工場をつないでいく中で培われたＩｏＴ関連製品の外販も行っている。ロボット専業メーカーと比較して、自社のものづくりで活用され改善されてきた技術・ノウハウに裏打ちされたユーザー視点でのものづくり提案ができることが強みとなっている。

タイにおけるデジタル技術を活用したライン教育（ＬＡＳＩ）

特徴的なのがタイを中心としたＡＳＥＡＮにおける展開である。自社のものづくりノウハウをベースとした教育プログラムを産官学の連携を通じて提供することで、産業基盤強化や新たな市場の形成を行い、事業展開を進めている。

タイの製造競争力強化に向けては、長く日本流のものづくりを通じて培ってきたタイの強みである現場の人の力を失わずに、効率的な自動化につなげていく必要がある。その実現のため、同社は日・タイ政府と連携し、現地のシステムインテグレーター（生産設備メーカー）や製造業の生産技術エンジニアに向けたＬＡＳＩ（Lean Automation System Integrators）という教育カリキュラムを開発、現地大学や教育機関と連携しながら人材育成を推進している。ＬＡＳＩは、デンソーが蓄積してきたノウハウ・知見であるリーン・オートメーションを「自動化の前の合理化」「現場で磨いた自動化技術」「改善しつづける現場作り」をコンセプトにトレーニングプログラム化したものである。バンコクに設置されたラーニングファクトリー（実証ライン）では、ロボットを用いた自動化ラインとデジタルツインが連動しており、製造ラインをエンジニアリングする際に図面だけではなく3Dイメージを踏まえて熟練者でなくてもスムーズに検討できるなど、ノウハウだけでなく最新の技術も活用している。

この取り組みはタイ政府・日本政府と連携したプロジェクトであり、タイ工業大臣から首相へ「タイにおける自動化の柱にする」と報告されるなど、同国の製造業における産業強化の中心的存在として政府・産業・教育／研究機関から捉えられ、大きなインパクトを生み出している。新興国における日本のものづくりの生産技術力への期待がいかに大きいかがわかる。この活動を通じて、日本流のものづくりが根付いたタイで連続性のあるものづくり力のレベルアップを実現させており、タイやASEAN諸国に進出しようとする欧米や中国メーカーとは違う日本ならではの価値を提供することで、日系の牙城を守っていく働きも大いに期待できる。LASIはこれまで現地大学や教育機関と連携しながら約800名のエンジニアを育成している。

今後このLASIの取り組みをタイから逆輸入し、日本でも展開する計画だ。

東南アジアでのものづくり支援

同社はさらにタイを中心としたＡＳＥＡＮ地域のものづくり他社に対し、競争力強化の支援や、生産性向上の支援を行っている。自社のものづくりで培った生産技術力や、ＩｏＴを活用した見える化技術、ロボットをはじめとした自動化技術などを活用して、生産ラインやオペレーションの診断、データを活用した見える化、カイゼン、効率的な自動化、ＯＥＥ（設備総合効率）の向上などを総合的に支援している。

自社ソリューションありきではなく、ものづくりの試行錯誤の歴史を通じて培ったノウハウをもとに徹底した「ユーザー目線」での支援を行っている。このことが、幅広い業種・規模の現地製造業からの信頼の獲得につながっている。

デンソーはこの他にも、自社の生産性・収益性を高め「ダントツ工場」づくりを行う中で、先述の「１／Ｎライン」など独自の生産技術を磨き上げてきた。これら強みの生産技術をもとに、自社のものづくりのさらなる高度化と、他社ものづくり企業を支える両輪展開の拡大が期待される。

図表33●生産ライン・マテハンにおけるエンジニアリングと、ユーザー製造業企業

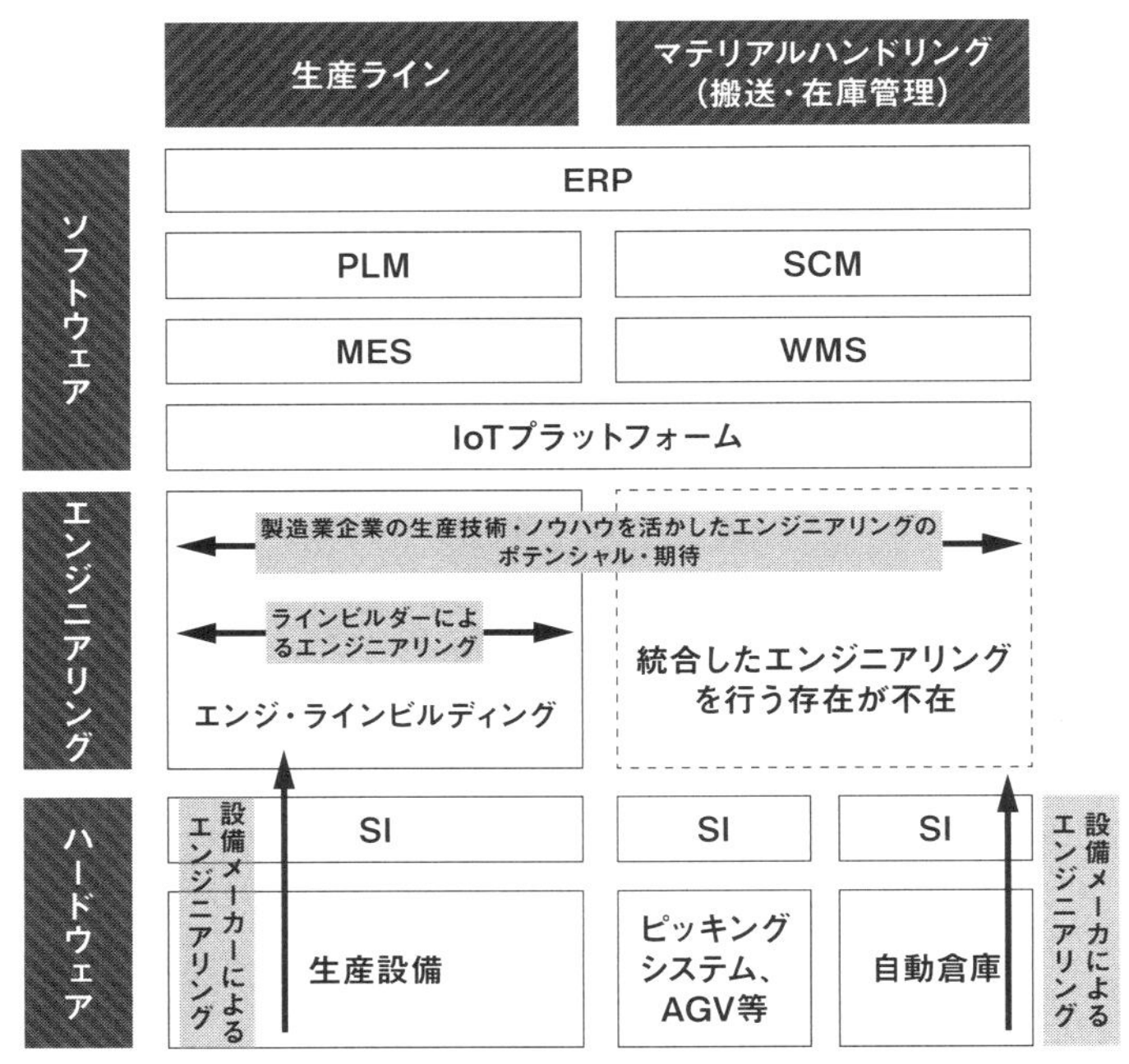

3 日立製作所――生産技術力を活かす

デンソーの他に生産技術力を効果的に他社展開している企業としては、日立製作所があげられる。同社は米国の大手ラインビルディング企業のＪＲオートメーションを買収しラインビルディング事業に参入している。買収したＪＲオートメーションは、自動車・航空機・食品／飲料など幅広い企業の製造ラインの設計・導入・メンテナンスを実施している。

日立製作所は自社ものづくりでの技術・ノウハウを活かして展開しているＩｏＴプラットフォームであるルマーダや、ＡＧＶ（自動搬送機）・サプライチェーンマネジメントソフトウェア（ＳＣＭ）といった物流や在庫管理・搬送といったマテリアルハンドリング関係の事業ポートフォリオと掛け合わせて他社ものづくりを広く支えていく戦略である。

同社のアプローチである生産領域と、部品の搬送を担うマテリアルハンドリング（マテハン）を融合した提案ができるようになることは非常に有効なアプローチとなる。先述のマスカスタマイゼーションをはじめものづくりが複雑化する中で、各製造工程をいかにフレキシブルにつなぐのかが重要となり、その鍵が在庫管理や搬送工程などを指すマテハン工程である。

従来は、設備メーカーやラインビルダーなど製造工程を支援する企業と、マテリアルハンドリング工程を支援する自動倉庫や搬送機を展開するマテハン企業が分かれており、それぞれ個別に提案されることが主であった。機器メーカー目線ではなく、ユーザー目線でこれらを連携させた最適なものづくりを提案することが生産技術を活かした「ものづくりプラットフォーム」展開においては重要となる（図表33）。

その他、FA（ファクトリーオートメーション）企業のオムロンや、ドイツの大手ロボットメーカーのクカなどがマテリアルハンドリング支援の商材を強化し、生産工程とマテハン工程を融合したものづくりの提案を図っている。

4 工程の要素分解と、標準化・見える化

日本の製造業が生産技術力を活かしたものづくりプラットフォームとして展開していくにあたって、重要な点かつ、最も大きな課題が自社の技術・ノウハウにおけるコア・非コアの位置づけの明確化である。日本企業としては生産技術・工程のすべてをコアとして捉え、工程・要素技術を分解してコア・非コアの検討がなされていないケースも多い。たと

えば工程や生産技術において下記の振り分けを行っていく必要がある。

●競争力の源泉でありコアとして自社内で尖らせ差別化要素を構築する工程
●他社に対して競争力のあるライン工程として外販が可能となる工程
●自社において非コア領域でありラインビルダー等外部を活用・導入してリソースの効率化を図る工程

とある自動車部品系企業で、以下のようなケースがあった。数十年前に世界最先端の技術として内製化して以来、競争力の源泉としてラインの内製化を図ってきたが、自社技術の過信から井の中の蛙となってしまい、いつの間にか外部のラインビルダー・設備メーカーのラインが技術面・コスト面でも上回ってしまっていた、というものである。当時の生産技術役員はその状況に衝撃を受けるとともに、大きく方針を転換し、当該ラインをラインビルダー活用に切り替える意思決定をした。

自社で活用されているラインが他社からはお金を払ってでも導入したい仕組みとなるケースも存在する。ある自動車関連企業では、自社の改善活動の中で生まれた工程を、ケイレツ内や他社への提示・議論を踏まえて商材化し、ラインパッケージとして展開している。

このように、「外」の観点を持って、自社工程の技術・ノウハウの強みや競争力を改めて客観的に分析する必要があるのである。

他社への展開を図っていくうえで重要なポイントが「標準化」「見える化」である。日本企業の生産技術力は強みを持っているが、ノウハウは属人的・暗黙知的になってしまっていることが多い。そのノウハウを商材として自社熟練技能者でなくても理解し活用できるように「見える化」「標準化」を行うことが重要である。

たとえばライン設計においては、図面や暗黙知として蓄積をするのではなく、3D製造ラインライブラリーとして蓄積する、といったことである。これによって、今まで熟練者が行ってきた図面を解釈し、経験に基づき調整・変更を加えていくといったプロセスが誰もが「見える」形で共有できるようになる。社内での組織を超えた連携や技能伝承につながるとともに、これらを他社製造業へ提供する商材開発につなげていくことも可能になる。

3Dライブラリー化されることにより、提案時や導入後に顧客などからのフィードバックを受けることで、この土台をさらにブラッシュアップ・高度化を図ることができ、自社内での製造ノウハウをよりいっそう磨くことにもつながる。

5 グローバルラインビルダーから学ぶ日本企業の方向性

生産技術の外販を行ううえで、先述のグローバルで展開するラインビルダーの動きは参考になる。ラインビルダーの事業展開における強みとして、いくつかのポイントについてくわしく見ていきたい。

【営業・顧客開拓段階】

①信頼性・実績を軸とした顧客拡大

顧客製造業がラインビルダーを選定する基準は信頼性・実績となる。製造ラインを止めることは大きな損害につながり、避けなければならない。そのため、顧客は蓄積された実績や信頼を重視し、口コミが重要な判断要素となる。欧米・新興国においては担当者の転職も多く、過去の導入企業に所属していた生産技術人員の推薦が導入において大きな影響力を持つことも多い。

新規顧客においては当初から広い範囲で受注できることはまれであり、一部の工程間搬送などのモジュールから受注し、そこから信頼を得て対象を拡大していく流れとなる。生産技術を活かしたラインビルダー化を図る日本企業としては、スタート時は外販の実績はなくとも、自社製造ラインにおいて同様のラインが稼働し「使いこなされてきた」という、信頼できる実績がある。これらをきっかけに、まずは限られた範囲であっても顧客に食い込み、外販において受注を増やしていくことが重要となる。

②3Dデジタルツインを活用した「見える」提案

外部顧客へのライン提案では、比較対象として前提となる社内の既存ラインや、図面の解釈レベル、長年蓄積されていた「暗黙の了解」は存在しない。そのため、顧客に対して「見える」形での提案が必須となり、各社3D工場シミュレーターなどのデジタルツインを活用し、3Dで立体的に提案ラインを示すことに取り組んでいる。

顧客が活用している工場ラインシミュレーターや、機器・CADソフトなどとの相性により、複数の3D工場シミュレーターを使いこなす能力も重要となる。ただし、まずはデジタルツインを活用した提案ノウハウを蓄積することが先決となるため、1つのコアツールを定め、スキルを集中的に身につける必要がある。

商材となるラインメニューの土台を検討していくためには、自社の強みとなるラインを

３Ｄ化し、それを土台に他社のものづくりにあわせた設計を行うこととなる。土台としての自社内ラインをすべて３Ｄ化するためには、コストやリソースが相当にかかってしまう。そのため、自社ラインの中でも商材となり得る製造ラインを見定めて、そこから３Ｄ化に着手しなければならない。

ラインの３Ｄ化については、デジタルツインベンダーが行っている教育に自社人材を集中的に参加させてノウハウを蓄積することが出発点になる。自社製造ラインをもとに３Ｄ化を支援する、３Ｄモデラーと呼ばれる企業も生まれておりこれらを活用することも一手である。

【エンジニアリング・機器／ソフトウェア選定段階】

③デジタルツインによる効率的な設計・機器設定・試運転

先述の通り、製造ラインにおけるデジタルツインは物理空間のライン動作を再現・連動した、デジタル空間でのシミュレーション技術である。デジタルツインでラインが表現されることにより、今まで暗黙知ノウハウの塊であったライン設計は３Ｄで可視化され、図面の個々人の解釈の差などがない標準化が進んできている。

その結果として、新規でのライン設計においては、実際に試作ラインを構築することなく、製造環境と同様のシミュレーションや改善活動を行うことで効率化が可能となる。これらにより、工場施設・配線・ダクトなどとの干渉確認や、工程間の搬送、リードタイム、生産性・作業者の安全性などのシミュレーションによるデジタル上での改善活動を行うことができる。

また、自社ラインや他社への提供ラインを3Dライブラリー化しておくことにより、同様のラインを構築する際に効率化できるだけでなく、それらのラインメニューや過去実績を他社に対して効果的に販売・提案することができる。ラインビルダー展開においては、大きなコスト項目であるエンジニアリング工数をいかに下げられるかが重要となる。同業界のインフラとなっているデジタルツイン技術を徹底活用して効率的にラインエンジニアリングを展開していくことが重要となる。その結果として、自社内のライン設計・導入プロセスにおいても効率性向上・競争力強化にもつながってくる。

④徹底した標準化と、ボリュームディスカウント

ラインビルダーにとって、競争力の源泉は標準化である。たとえば独デュルは各産業×工程で標準的なメニューを持っている。顧客ごとの個別ニーズに寄り添いすぎると、個別

顧客にしか対応できないラインソリューションとなってしまうため、因数分解して、多くの顧客のニーズの最大公約数となる「標準解」のレベルを見極める必要がある。日本のソリューション企業としては、顧客の個別課題に寄り添いすぎ、スケールができていないケースが多いが、そういった企業にとってこの姿勢は示唆となる。

また、日本の大手ラインビルダーである平田機工は、ＡＣＳコンセプト（Assembly CellSystem）として生産設備標準モジュール化を進めている。各工程で使用する装置や部品を共通化し、機能別モジュールを標準化しているのである。その結果として、モジュールごとのエンジニアリング・試験期間などを短縮でき、生産立ち上げ時間・コストを大幅に縮小しているのだ。以前の自動車生産ラインでは常識であった専用設備の設置から、多機能標準ラインへの切り替えを行うことにより、効率的なライン設計と品種切り替えへの柔軟性、省スペース、メンテナンスの効率性を実現している。

また、標準化によるメリットとしては、エンジニアリングコスト同様に、ラインを構成するハードウエアとソフトウエアの調達先を絞り込み、ボリュームディスカウントを実現することも大きい。ラインの導入コストの中で、ハードウェアとソフトウェアの調達は多くの割合を占めるため、ボリュームディスカウントをいかに行うかが重要となるのだ。

⑤非コア・定型設計業務は海外拠点活用で効率・短納期化

ラインビルダーにとって、エンジニアリングコストの最小化と顧客に対する納期の迅速化が重要となるため、グローバルでの実行体制を効果的に整備している。たとえば欧州のラインビルダーは、人件費の高い欧州のエンジニアリング拠点の人材がすべてのライン構想・設計を行うわけではない。ラインエンジニアリングの設計業務を、付加価値を生むコア業務と、定型の非コア業務に振り分け、後者をインドなどの他国拠点に任せている。そのことにより、エンジニアリングコストの低減とともに、時差を活用した24時間業務体制が実現でき、短納期化にもつながっている。

【サービス・メンテナンス段階】

⑥IoT・デジタルツインを活用した遠隔メンテナンスの展開

ラインビルダーにとっては、新規での製造ライン導入のみならず、導入後のサービスにおいて継続的な顧客関係性を構築し、収益を得ることが重要となる。新規製造ライン導入は景気や顧客業績などの変動要因が大きく、安定収益を得るうえでは、導入後のサービス強化が必須となる。その観点でデジタル技術の活用は欠かせない。

顧客工場に頻繁に通って状況把握を行い、新規導入や増設、メンテナンスニーズを把握する、といったやり方は非効率であり、リソースもかかる。それを最小化するためにも、ＩｏＴを通じて顧客の製造ラインの状況を常に把握し、予兆保全を行い、事前にメンテナンス機会を把握して改善提案を行うことが重要となる。

ラインビルダーは、各社ＩｏＴプラットフォームの展開を行うとともに、メンテナンス領域においてもデジタルツイン技術の活用を進めている。コロナ禍によって、顧客側も遠隔で製造ラインの状況把握を行う必要性が高まっており、製造ラインの状況を３Ｄで把握できるデジタルツインを提供しているラインビルダーも存在する。

⑦ラインオペレーション教育

顧客に対するライン導入と同時に、そのラインをいかにオペレーションしメンテナンスするか、といった教育サービスの提供も重要である。教育コンテンツを整備し、顧客に継続的に提供するのである。特に欧米や新興国企業においては、前述のとおり顧客の担当者の転職が多いため、教育サービスの提供を高頻度で依頼され、収益源となる。同時に、継続的に顧客との関係性を持つことにもなり、次のライン導入案件につながる接点となる。

【経営・人材】

⑧エース人材の戦略・組織的育成

ここまでラインビルダーにとっての強みであり、日本企業にとって参考となるポイントを紹介してきた。言うまでもなく上記に加えてより重要となるのが「人材」である。

特に直接商材につながる「ラインの標準化の見極め」はラインビルダーにとって事業の収益性を分ける大きなポイントとなることから、人材育成や組織設計について相当なリソースを割いている。

最先端のラインビルダーは、ラインメニューの標準化を行う専門組織を設置するのはもちろんのこと、若い段階から見込みがあると判断された人材をエースエンジニアの指導のもと、各領域・部門を定められた順番でローテーションして経験を積ませ、標準化の戦略判断ができる人材へと育てるプログラムを整備している。エースエンジニアを戦略的に育て、組織として標準化を行うための仕組みが構築されているのである。

日本企業は生産技術部門に限らず、経営を支える人材になることを目的に、ローテーションで人事異動を行い、ジェネラリストを育てるケースが多い。また将来のエース候補を見定めて、他メンバーと差をつけた人事異動を行うことは少ない。日本企業においても、生産技術を活かした事業をつくっていくうえでは、専門人材の育成を戦略的に行う必要がある。

⑨対応工程スコープの効率的拡大

グローバルで展開している大手ラインビルダーは、個別産業・領域特化ではなく、幅広い産業や工程をカバーしている点に特徴がある。取引のある顧客とのプロジェクトの中で徐々に拡大していった部分もあるが、既存顧客への導入実績や標準化の中から共通解を見いだし、意図的に新規領域へ進出したり、M&A・出資を通じて拡大させてきた領域も多い。

共通解を見いだして新規領域に拡大するケースでは、在庫管理や搬送などのマテリアルハンドリングをきっかけにするケースも多い。各産業・工程で共通して必要となる領域を起点に産業に入り込み、そこから組立や加工、検査といった前後工程に領域を広げていく流れである。

日本企業のラインビルディング展開においては、自社内製造ラインにおいての強みとなる工程を見出し、それが他の企業・業界において応用できるのかといった共通解を検討し、さらには外部顧客のニーズ・需要を踏まえた領域拡大が可能かどうかを見極める必要がある。

たとえば、大手ラインビルダーの領域ポートフォリオでは、ライン特性が似ている自動車と航空機産業、さらにはエレクトロニクスをセットで有しているケースが多い。加えてＥＶ化の流れを受けて、自動車とエレクトロニクスのノウハウを組み合わせて商材開発を行っている。

また、自動車関係企業のラインビルディング展開を行っている企業では、メインターゲットは当然ながら同業だが、同時に食品業界も狙っている場合がある。食品業界は手組みラインが多く、自動車産業の数年前の自動化レベルにとどまっているため、自社の過去のノウハウが横展開できるためである。

これらの取り組みは、生産設備のＳＩｅｒ企業や、ラインビルダーへの参入を目指す企業はもちろんのこと、自社内部の他工程への提案力を強化する、という観点からも参考になる。これらを踏まえて、日本の製造業が、生産技術を活かしたものづくりプラットフォーム展開を行っていくことが期待される。

第6章

パターン③ ネットワークとケイレツノウハウを売る

1 2つの展開方法

本章ではサプライチェーン・ケイレツのネットワークや管理ノウハウを売っていくパターンについて述べたい。

従来、日本企業は「ケイレツ」と呼ばれるネットワークを組織し、ノウハウ・技術の共有、共同開発、生産・品質指導など企業を超えた連携を行い、サプライチェーン全体で競争力を強化していくことに強みを持ってきた。完成品メーカーが、サプライヤーと部品の共同開発を行ったり、生産技術人員を派遣してサプライヤーの生産ラインの改善指導にあたり、生産性や品質を共同で引き上げるなど、まさに一丸となってビジネスを行ってきたのだ。

たとえばトヨタ自動車は、母体となった豊田自動織機や、大手部品メーカーであるデンソー、アイシン精機、ジェイテクト、東海理化、豊田通商などと資本関係を有し、密な連携を行ってきている。さらに資本関係のない企業も含め、トヨタへの納入を行うサプライヤーは「協豊会（部品サプライヤー約230社）」「栄豊会（設備サプライヤー・物流企業約130社）」と呼ばれるケイレツネットワークを組織し、トヨタ自動車との連携を強化

図表34●サプライチェーン・ケイレツを活かしたものづくりプラットフォーム展開

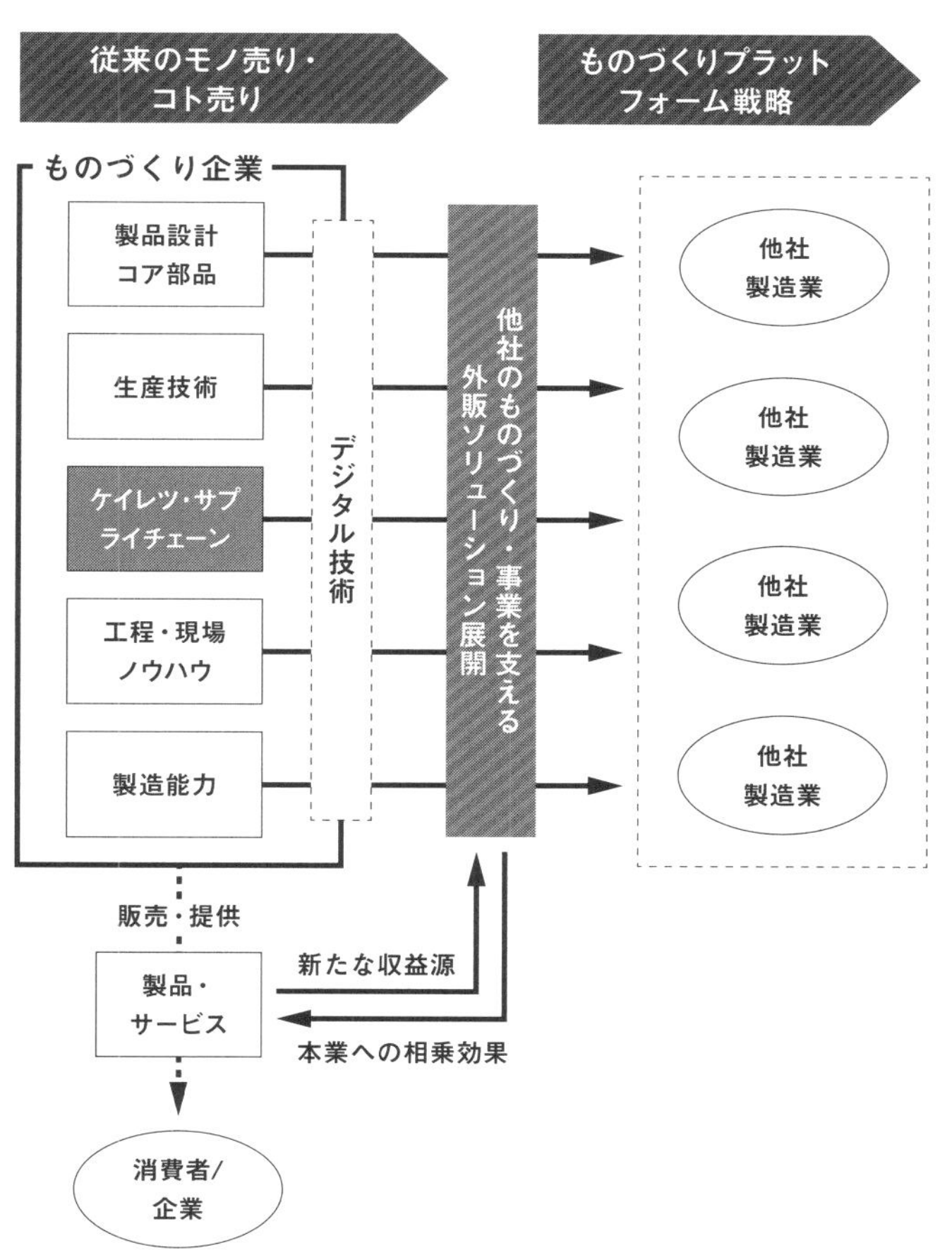

してきたのである。

その中で、トヨタ自動車が生産技術エキスパートを派遣し、サプライヤーの部品メーカーの工場の改善を行うことや、ケイレツ間での生産技術のベストプラクティス（最善事例）共有を行うといった取り組みが行われてきた。ケイレツ・サプライチェーン全体として、ノウハウを共有し合い、全体としての競争力を生んできたのである。

後述するように、海外企業ではこれらの動きをデジタル化してサプライチェーンをＩｏＴでつなぐとともに、デジタル化されたノウハウをアプリケーションとして共有し合う「デジタルケイレツ」を組織し始めている。

しかし、日本企業がこれまで物理的に行ってきていた深い連携にまでは踏み込めていない。日本企業としては、ケイレツのデジタル化自体では後れを見せているものの、従来の強みをていねいにデジタル展開することで、競争力のあるデジタルケイレツ・サプライチェーンを展開できる余地が存在する。

日本企業としての強みを活かすアプローチの方向性としては、①デジタルケイレツと、②生産シェアリングプラットフォームの大きく２つが存在する。それぞれについて事例とともに紹介したい。

（1）デジタルケイレツ展開

自社工場・サプライヤーをつなぐＩｏＴ基盤を展開するとともに、直接調達・供給関係にないケイレツ外・異業種企業も接続する。それによりデータ・ノウハウの共有・連携を通じて競争力のあるデジタル上でのケイレツを組織する。

（2）生産シェアリングプラットフォーム展開

デジタルケイレツの派生形として、製造を依頼したいユーザーと、製造能力を持つサプライヤー企業をマッチングする。ユーザーの求める品質レベルの解釈・目利き力と、ネットワーク企業の生産能力や品質レベルの理解などを武器に展開を行う。

2 デジタルケイレツ――企業・データ争奪戦の時代へ

本章はグローバルにおけるデジタルケイレツの動向に触れたうえで、先行事例としてＢＭＷとＶＷ、コニカミノルタの動向について紹介したい。

従来、ケイレツをはじめとする企業のサプライチェーンとしての結びつきは、物理的な調達・供給関係が主体であった。これがデジタル化の中で、データ・ノウハウを主体とした結びつきに変化しつつある。

これらの企業の結びつきのあり方を「デジタルケイレツ」と提唱したい。業界や物理的な取引関係の有無、本社国の所在地にかかわらず、データ・ノウハウを共有することで、デジタルケイレツ全体として競争力を強化する流れを生む動きが進んできている。

グローバルでの先行企業としては、欧州自動車メーカーのフォルクスワーゲン、ＢＭＷなどが挙げられる。それぞれＩｏＴプラットフォーム基盤を活用して自社工場やサプライチェーン企業をデータ接続するだけではなく、その基盤を外販し、直接取引関係のないケイレツ外・異業種の企業ともデジタル上でのケイレツ関係を築いている。

3　ＢＭＷとＶＷの取り組み

異業種も取り込む

ＢＭＷは、マイクロソフトのクラウドプラットフォームであるアジュールと連携し、スマートファクトリー構築を支援するオープン・マニュファクチャリング・プラットフォーム（ＯＭＰ）を展開している（図表35）。

ＯＭＰは、同社の製造プロセスで活用されているＩｏＴプラットフォームを土台に、自社工場はもちろんのこと、数千社存在するサプライチェーン企業、さらには取引企業外・異業種も含めて接続できるように外販化を進めている。自動車業界においては、ボッシュ（自動車部品メーカー）、ＺＦ（自動車部品メーカー）、フォルシア（自動車部品メーカー）などの大手部品メーカーを押さえているほか、異業種・取引企業外としては、ＡＢインベブ（飲料メーカー）、シーメンスヘルスケアらが参画している。

同デジタルケイレツではＢＭＷやボッシュなどの参画企業が開発したアプリケーションを活用することができ、異業種企業にとってもそれらプラットフォームでやりとりされる

図表35● BMWにおけるデジタルケイレツの取り組み

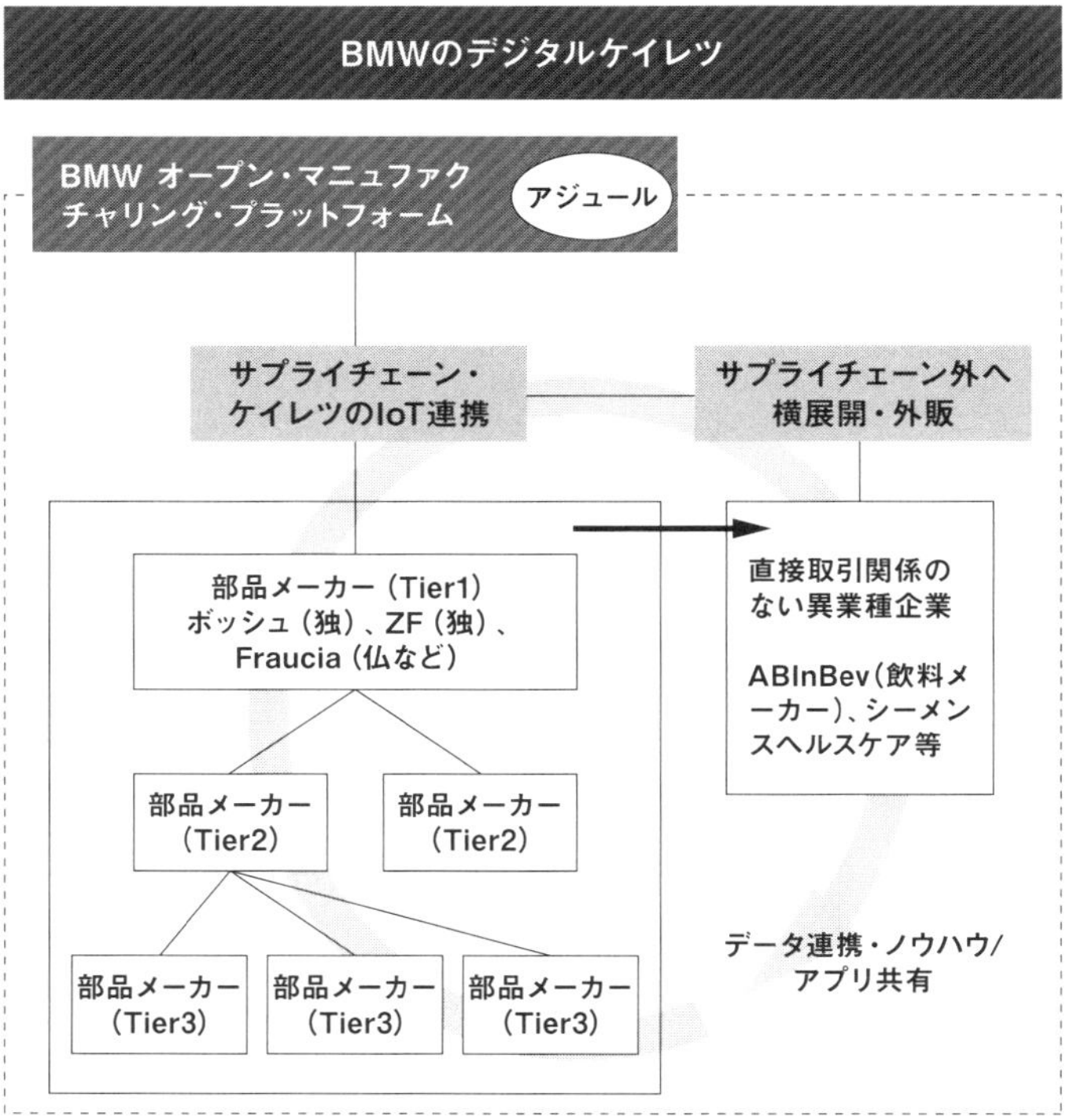

ノウハウを活用することでメリットを享受することができる。

アプリケーションとしては、たとえばマテリアルハンドリング・物流工程における自動運転ＡＧＶ（無人搬送車）の管理や、輸送ルート最適化・自律輸送・予兆保全アプリなどが展開されている。今後は、部品の調達プロセスや組み立てプロセスなど、参画企業の共通課題が存在する領域で高度化・最適化を図るアプリケーション開発を進め、さらにデジタルケイレツとしての競争力を強化する考えである。

サプライチェーン拡大によるレジリエンスの強化

同様にドイツ自動車企業のフォルクスワーゲン（ＶＷ）も、フォルクスワーゲン・インダストリアル・クラウドを展開しており、同グループ内の１２２生産工場で標準化される計画である。長期的には１５００社以上あるサプライヤーのうち、３万以上の生産拠点も含めた同社のグローバルサプライチェーンの網羅を行う計画であり、ケイレツ外・異業種へのプラットフォーム外販も計画している。ケイレツ外、異業種としてはＡＢＢ（ロボットメーカー）、デュル（溶接ロボット・ラインビルダー）、ＧＲＯＢ（設備メーカー、ラインビルダー）など11社が参画している。

欧州自動車産業だけでもＢＭＷ、ＶＷと展開が進む中で、今後同様のデジタルケイレツの形成がグローバルで加速される時代が想定される。そうなると、製品の調達・供給関係だけではなく、新たなビジネスの創出や、自社オペレーションの高度化などのデータを提供・連携することによるメリットを明確に提示できなければ、他業界も含めたデジタルケイレツプラットフォームに取引先との関係性を奪われてしまう可能性がある。つまり、今後はデジタルケイレツ同士の接続企業やデータの争奪が繰り広げられるのだ。

たとえば自動車部品メーカーにおいては、納入先は1社のみではなく複数社となる。その中で、欧州でBMWとVWがそれぞれデジタルケイレツを展開しているように、部品メーカー側が完成車メーカー複数社のどのデジタルケイレツに入るのかの判断を迫られるとともに、完成車メーカー側として競争力のあるノウハウやデータを有する企業は奪い合いとなる。いかに魅力的なデジタルケイレツを提供できるかが鍵となるのだ。

また災害やコロナ禍のようなパンデミックが起こった際には既存のサプライチェーンの分断がしばしば起きる。これらに備えて、企業としてはサプライチェーンのネットワークを拡大し、有事においては平常時とは異なる取引・連携の実施を行う必要がある。これらサプライチェーンのレジリエンス強化においても、デジタルケイレツ化は重要となる。

日本企業は、これまで企業の枠を超えてノウハウ供与を行い、サプライチェーン全体として競争力を構築してきた強みを活かして、早期にデジタルケイレツ型へ転換していくことが期待される。

4 コニカミノルタ、マレーシアSICの取り組み

デジタルケイレツに取り組んでいるのが、エレクトロニクス企業コニカミノルタだ。同社はマレーシアにおいてデジタルケイレツの先行的な取り組みを実施している。

同国工業団地に複数のサプライヤーを集積させ、顧客のセットメーカーも含めたネットワークで接続して在庫や品質の情報を共有したり、物流を一元化して高効率の生産とコスト削減などを実現するスマート・インダストリアル・センター（SIC）に参画している（図表36）。

10万平方メートル以上のSICの敷地には、コニカミノルタのほか、港湾物流大手の上組、サプライヤーのマレーシア企業・中国企業など10数社が参画している。「バーチャル・ワン・カンパニー」という考え方のもと、セットメーカーとサプライヤー、あるいはサプライヤー間において設備稼働状況や生産計画、在庫情報などを共有し、生産・在庫計画の最適化を図る方針である。

図表36●コニカミノルタのデジタルケイレツの取り組み（マレーシアSIC）

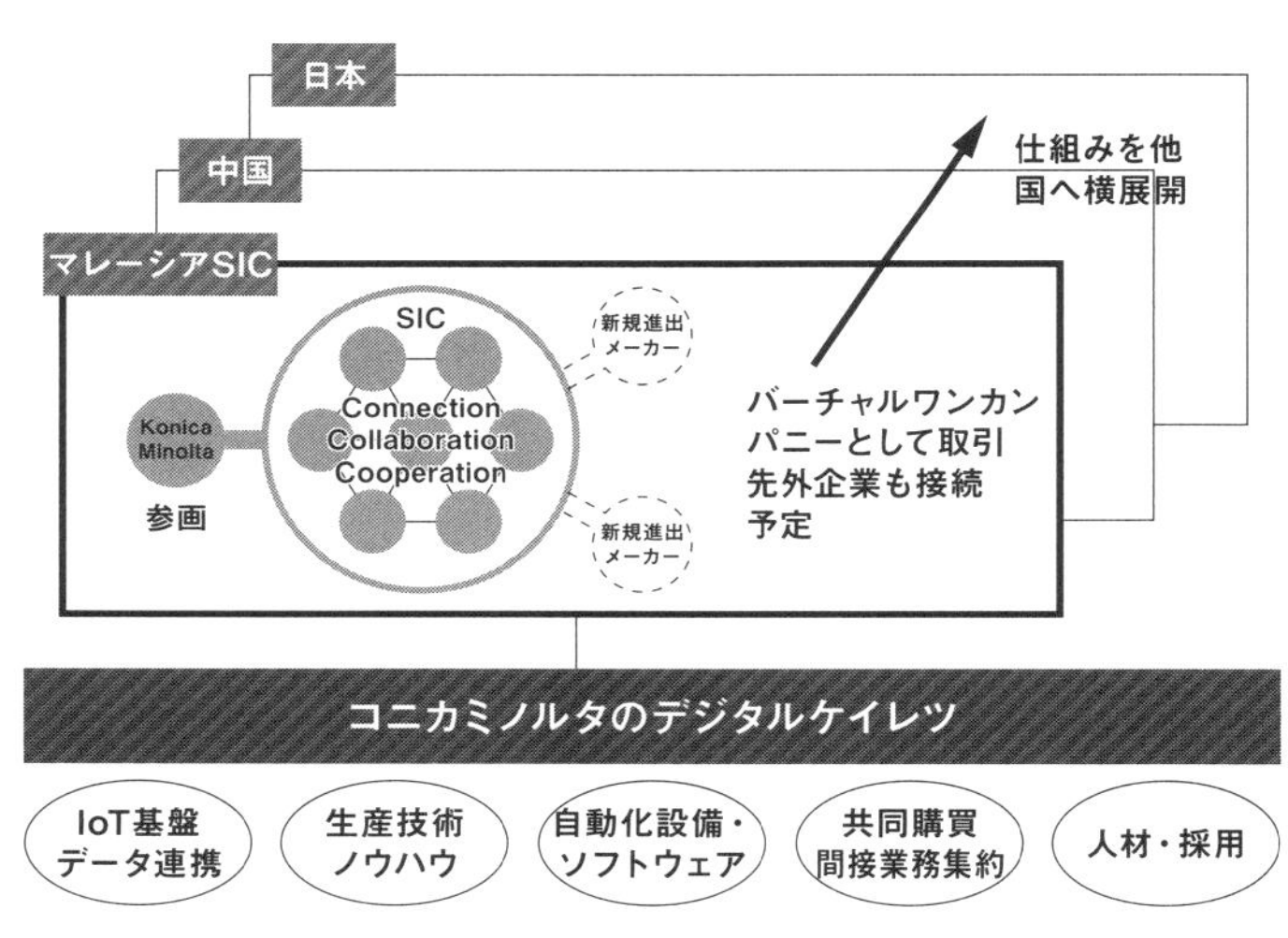

物流面ではサプライヤーが隣接しており、配送ルートの短縮やＡＧＶ、自動倉庫などの投資を共有化し集約できる。自動化設備や、コニカミノルタが推進している「デジタルマニュファクチャリング」のソリューションを含めた設備管理ＩｏＴ、データ連携の仕組みや共通する間接業務の集約、集中購買による調達コスト削減、人材採用の共同展開などを行っている。

サプライヤー1社1社のそれぞれがこれらの検討を行うことはリソース・知見として難しいが、ＳＩＣに集積している企業については、コニカミノルタが支援していくことになる。サプライヤーの効率化・コスト削減が進むことにより、コニカミノルタとしてもメリットが生まれる構図である。

コニカミノルタは従来、特に新興国の進出国において自社の技術・ノウハウをもとに現地サプライヤーをていねいに育てることに取り組んできていた。サプライヤーの現場に入り込み５Ｓ（整理・整頓・清掃・清潔・躾）の基本行動から、ライン設計、品質管理までを指導・共有して競争力のあるサプライチェーンを作ってきている。これまで実施してきたサプライチェーン管理・強化のあり方を、デジタル技術を活用して効率的に展開しているのが今回のＳＩＣなのだ。

今後はこのモデルを、直接調達・供給関係にない企業や異業種、地域としても日本や中国などに拡大していく計画である。

5 日本型デジタルケイレツに向けた強みと論点

ケイレツのあり方が変わる

日本企業としては、デジタルにデータを連携するだけではなく、自社ものづくり技術・ノウハウを活かした経営アドバイスや、製造現場の改善指導などといった、より「現場に即した」デジタルケイレツを形成していくことが、今後グローバルで生まれるデジタルケイレツとの差別化要素となり得る。SICにおいても、マレーシアの企業としては取引先のコニカミノルタと近接してJIT（ジャストインタイム）納入をするといったメリットもあるが、この取り組みを通じて同社のノウハウ・技術を学び、自社として成長したいという思いで参画している。

日本企業としてケイレツや取引先育成で培ったネットワークやノウハウ、これまでの現地サプライヤーをていねいに育ててきた実績・信頼を活かして、競争力のあるデジタルケイレツを展開していくことが期待される。

ケイレツのあり方は今後大きく変化すると考えられる。既存のセットメーカー、部品メーカーの関係性に限らず、データやそのデータに基づくアプリケーション、ノウハウを共有し、相互の事業拡大を目指す緩やかな連携となっていくと考えられる。

これはすでにＢＭＷのプラットフォームに飲料・ヘルスケアなどの異業種が参画しているように、当該産業のみに閉じた話ではなく、産業横断プラットフォームとして拡大できる余地がある。たとえばトヨタ生産方式（ＴＰＳ）をベースとしたコンサルティング活動を行うＴＰＳコンサルは、自動車だけでなく食品や農業、サービス業も含めた幅広い産業に適用されている。これら特定産業で蓄積されたデータやノウハウは、他産業でも十分応用可能となることを示している。

今後日本企業がデジタルケイレツを展開していくうえでは、下記2点が論点となる。

1　デジタルケイレツに共有する技術・ノウハウの標準化・見極め

これは他のものづくりプラットフォーム展開においても共通するが、技術・ノウハウのうち、どこまでを自社の競争力の源泉としてオープンにせず自社内にとどめるのか、どこまでをデジタルケイレツとしての競争力・魅力として共有を図るのかの線引きである。

コニカミノルタのケースでは、さまざまな工程で活用ができる汎用自動化設備・ノウハウの共有を行い、ＢＭＷのケースでは自動車・飲料など業界横断で活用ができるマテハンのアプリケーション共有から先行着手している。

直接的な取引企業については、参加企業の成長がコスト削減・品質向上など自社既存事業の直接的なメリットとして還元されるため、ある程度踏み込んだ技術・ノウハウの共有も行いやすい。しかし今後、取引企業以外にもデジタルケイレツの範囲を拡大していくうえでは、自社として囲い込む技術・ノウハウと、デジタルケイレツ内で共有するサービスの振り分け・見極めが論点となってくる。

他社が展開するデジタルケイレツと比較し、参画企業が日本企業に期待する点としては、デジタル化がしやすい部分のみならず、現場改善や人づくりも含めた参画することによるメリットを提示していくことが挙げられる。人材要件が複雑化する中でのデジタルケイレツ内における専門人材・スキルの共有・シェアリングや、ＩｏＴによるデータ分析、生産技術人員によるライン・品質指導サービス、参画企業内で生まれたラインモジュールの連携、共同でのアプリケーション開発など、参加企業の視点に立った設計が求められる。

2　小さく速いデジタルケイレツとしての仕組み整備

先述の通り、データ・企業の奪い合いが想定される中で、早期にこれらデジタルケイレツ形成の動きをスピード感を持って行っていく必要がある。すべてを自社開発することを前提にしていては、時間・リソースがかかるとともに、事業環境に応じた柔軟な意思決定ができなくなってしまう。

実際にBMWはマイクロソフトのアジュールを、VWはAWSやシーメンスの産業IoTプラットフォームのマインドスフィアなどの既存プラットフォームを土台として活用し、自社が展開したいデジタルケイレツに向けた調整とリブランドを行うことでスピードを担保している。

技術面では既存の仕組みを活用し、早期に立ち上げたうえで、サプライヤーや異業種とのデータ連携、ノウハウ共有を通じた相互の競争力強化をいかに行っていくのかの「事業モデル」の検討が最も重要である。

また、デジタルケイレツ展開においては、参画企業データの連携対象とともに、そのデータを用いてどのような付加価値を創出するかの議論も欠かせない。コニカミノルタでは現状、サプライヤーの品質検査情報の連携を踏まえて、自社の製造プロセスを最適化・効率化することや物流プロセスの最適化を行っている。今後は自社―サプライヤーの生産計画情報や在庫情報を連携し、サプライチェーン全体で効率的なものづくりを行うことを想定している。

生産管理システム・在庫管理システムなどは、各社個別のシステムを使っているケースも多い。これらを連携させる仕組みをどのように整備するのかなどは重要な論点となり得る。後述のジェイテクトが展開するファクトリーエージェントについて、上出武史社長が「新たな産業クラスターを再構築したい」と述べているように、デジタルケイレツはまさにデジタル時代の新たな企業連携・ネットワークの形であると言える。

これらデジタルケイレツが形成されてくると、後述する生産シェアリングなどのさまざまな形の派生ビジネスへの発展も考えられる。

6 生産シェアリング・マッチングプラットフォーム

サプライチェーンネットワーク、ケイレツノウハウを活かした「ものづくりプラットフォーム」のアプローチの2点目として、生産シェアリングプラットフォーム展開について触れたい。デジタルケイレツが構築でき、サプライヤーをはじめとした連携企業の稼働状況や品質・能力などがデータ化・共有されると、それら企業ネットワークの製造能力は競争力のある商材となり得る。たとえば顧客の要望・仕様にあわせて、適切な生産キャパシティ・能力を持つ企業・工場をマッチングする生産シェアリングプラットフォーム展開がその一つである。

現在、幅広い業界でウーバーやエアービーアンドビーなどのマッチングプラットフォーマーのビジネス上での存在感が増している。

マッチングプラットフォーマーとは、商品やサービスの提供を受けたい需要者と、提供を行いたい提供者をそれぞれネットワーク化してつなぐ「仲介者」の役割を果たすビジネスモデルである。タクシー会社や、ホテルといった直接ビジネスサービスを提供するアセット・リソースを自社で持つことなく、エコシステムと呼ばれるパートナー・ステークホルダーを活用することで効率的にビジネスを展開するため、加速度的に拡大が可能となる。そのマッチングプラットフォーマーのものづくり版が生産シェアリングプラットフォームである。

世界中でさまざまな領域においてマッチングプラットフォームが広がる中で、生産シェアリングプラットフォームは他領域と比較すると、展開が遅れている。いくつかのプラットフォームは出てきているものの、３Ｄプリンターや工作機械などの単一設備により加工ができる、といった領域を出ないものが主流となっており、複数工程を組み合わせるものづくりにまでは踏み込めていないケースが多い。

その理由として、３Ｄプリンターや工作機械などの設備加工では、ある程度の３Ｄ設計

図表37●生産シェアリングプラットフォームの事業モデル

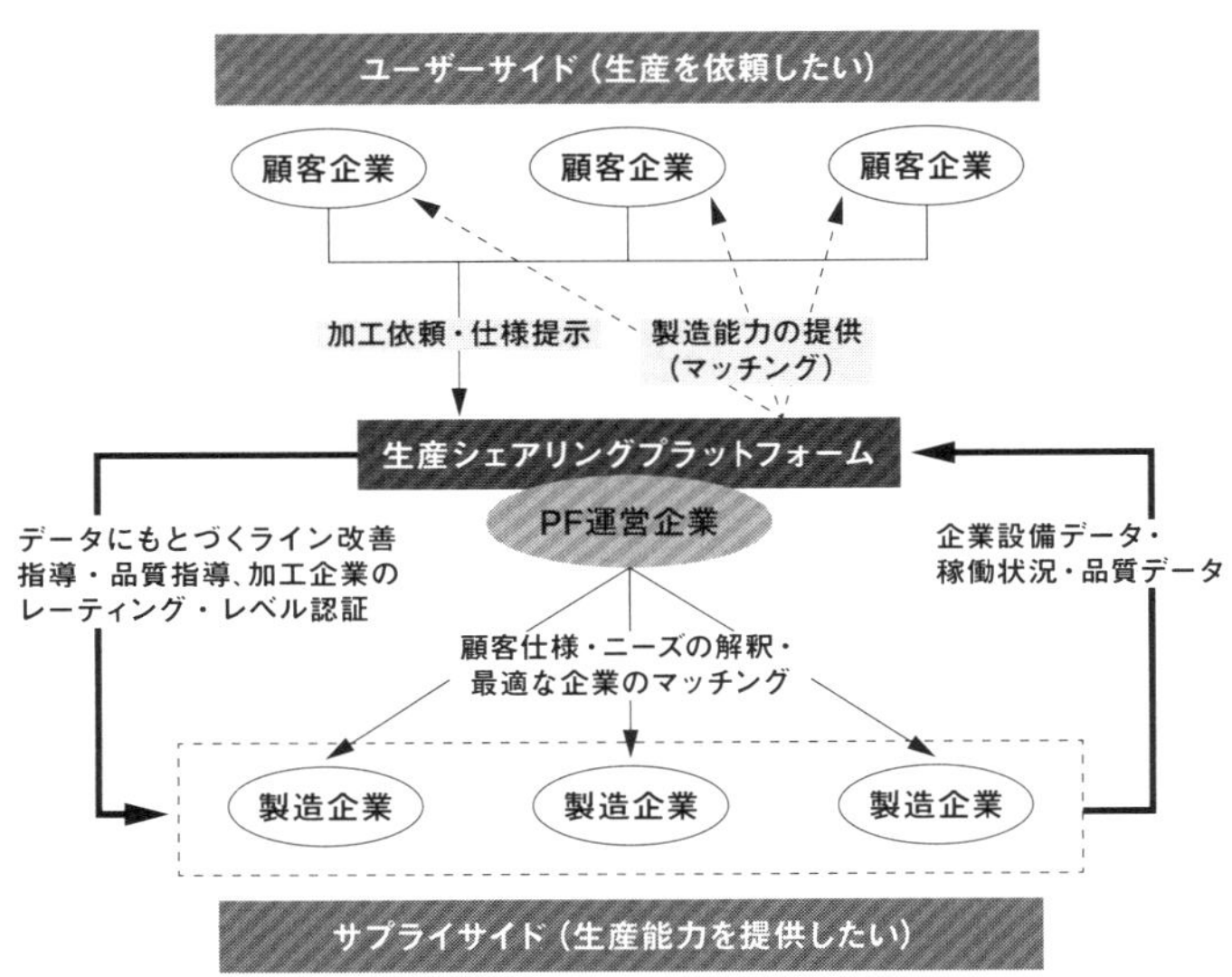

図があれば、アウトプットの品質は少ないズレで生産が行えるため、マッチングの事業が成り立ちやすい。しかし、複数工程を組み合わせるものづくりとなると、品質のコミットメントや最適な技術・生産能力を有する企業の見極めが難しい。

たとえばフードデリバリーであれば、配達員の配送品質に誰が責任を持つのか、という点がマッチングビジネスのプラットフォームの論点として話題となった。これと同様に、品質が特に重要となる製造業において、提供者である生産企業の品質管理はプラットフォーム展開において重要な問題となる。そういった意味で、メガＩＴプレイヤーなどが新規参入して展開しづらい領域なのである。

その観点からも、常にサプライヤー・ケイレツの製造能力・品質を見極め、指導を行うことで競争力を構築してきた日本企業の展開に期待する点が大きい。日本企業の生産シェアリングプラットフォームの先行事例として、日本特殊陶業が同社初の社内スタートアップとして展開している「シェアリングファクトリー」を紹介する。

7　日本特殊陶業のシェアリングファクトリー

３つのビジネスモデルを展開

スパークプラグ・セラミック製品などの製造メーカーである日本特殊陶業は、２０１８年３月に同社初の社内スタートアップである「シェアリングファクトリー」を設立し、生産シェアリングプラットフォームの展開を行っている。シェアリングファクトリーは、大

き く下記の３つのビジネスモデルを展開している。

①設備・計測器のシェアリング（遊休生産設備・計測器を有効活用したい製造業とレンタルしたい企業のマッチング）

②遊休資産の売買（遊休資産の売買取引の仲介）

③加工サービスマッチング（製造技術を有効活用したい企業と製造を委託したい企業の受発注マッチング）

このシェアリングファクトリーには、２０２１年２月時点で約１２００社の製造業が登録している。

機器やものづくり業務のマッチングを行ううえでは、先述の通り業界を理解している人材による目利きが重要となるが、その点でも日本特殊陶業でのものづくりの経験が活きている。民泊やライドシェアなどのマッチングプラットフォームと比較して、品質がより重視される点、各社によってものづくりの考えが異なるといった点で、マッチングにあたって細やかな調整や、発注者・受注者の双方の間に立った調整が必要となる。

これらを日本特殊陶業出身の創業者が担うことにより、プラットフォームとしての信頼を強固にしている。図面に対する提案を価値と捉え、シェアリングファクトリーが注文を受け、会員企業の技術力や稼働状況、立地を踏まえて生産業務を振り分けているのだ。

ものづくりそのものへ関与する

単なるマッチングにとどまらず「納期」「コスト」「品質」などものづくりに関与していくことが特徴である。今後は、親会社の日本特殊陶業が培ったサプライヤーネットワークも接続してカバーできる範囲を広げることや、量産系・高度加工技術へのさらなる対応を図る考えである。

シェアリングファクトリーが日本特殊陶業から生まれ、拡大することができた背景としては、経営陣がコミットメントを持ち、支えてきた、という経緯が大きい。特に製造業においては新規ビジネスを検討する際に、今までのものづくり基準での評価から離れられず、数百億規模の売上規模や、3年などの早期での投資回収等が事業評価基準となってしまいがちである。このため、事業を生み出せなかったり、つぶしてしまうケースも多い。

特にシェアリングファクトリーのようにネットワーク型のビジネスモデルであれば、収益拡大に時間がかかる。その中で、日本特殊陶業として経営陣を挙げてシェアリングファクトリーを生み、育ててきているのである。

図表38●日本特殊陶業 シェアリングファクトリーの展開

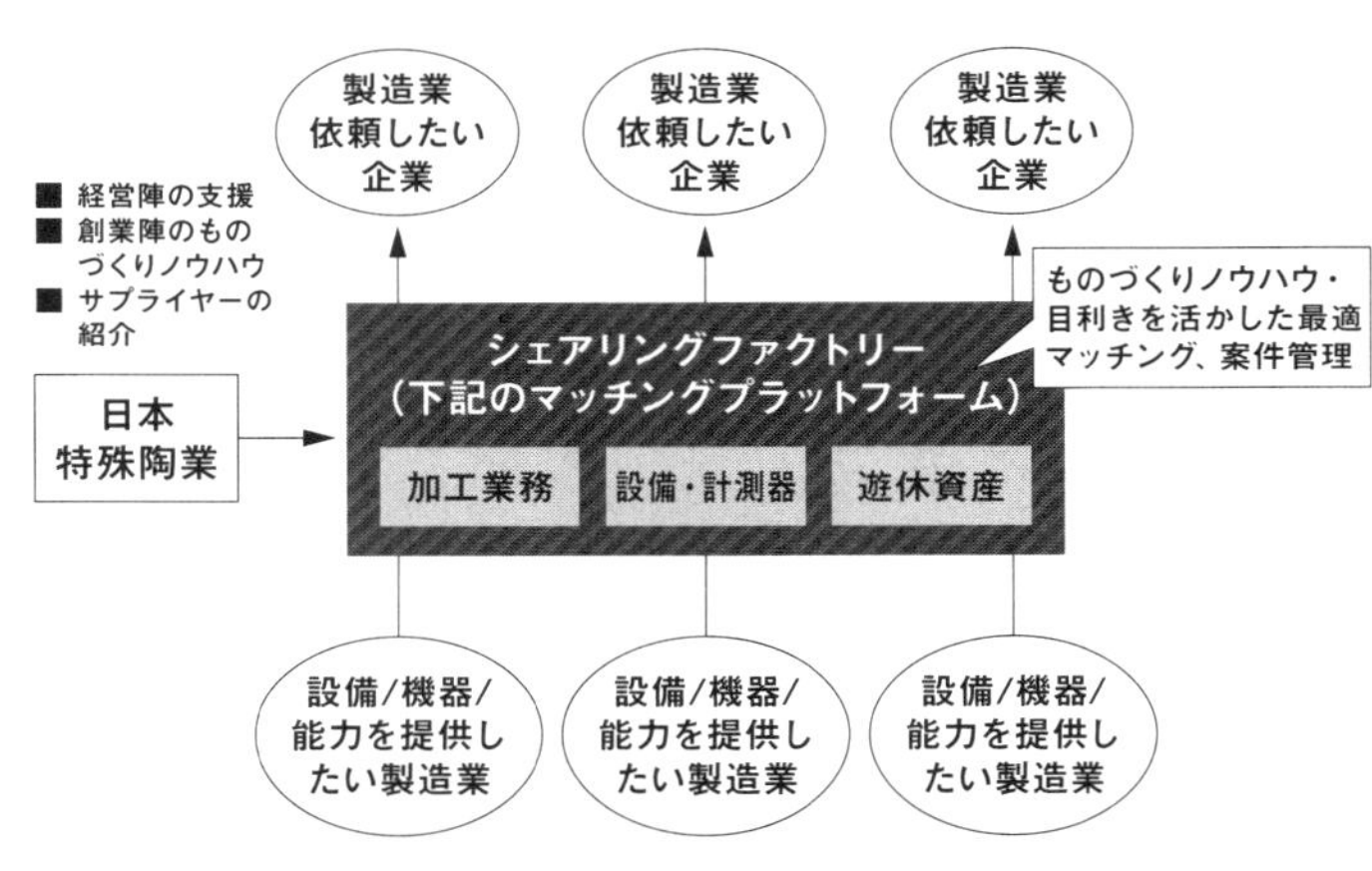

同社はエンジンなどの内燃機関向けのスパークプラグの世界的大手であるが、今後ＥＶ化の流れの中で、脱内燃機関ビジネスを急速に推し進める必要がある。こうした次世代に向けた新規ビジネスを作りだすことに対する経営陣の強い危機感が、積極的に事業創出にチャレンジすることを推奨する風土につながっている。これらの姿勢は日本企業にとって大変参考になる。

その他の事例

日本特殊陶業のほか、自動車部品企業大手のジェイテクトも同様に製造業のマッチングサービス「ファクトリーエージェント」を展開している。部品加工を依頼したい発注者と、部品加工能力を提供したい受注工場を、自動車のみならず家電・半導体・建設など業界横断でマッチングする。ジェイテクトが発注側の仕様・ニーズに合わせて、適した工場の見積もりを提示するのだ。

同社の調達ネットワークや、これまで蓄積した３０００社以上の企業データベースを活用しており、現在１００社の登録企業ネットワークを有している。その他、スタートアップとしては、３Ｄ／２Ｄ図面をアップロードすると、ネットワークに接続する世界中の工場の製造能力を活用できる生産シェアリングを実施しているカブクや、金属加工部品の製造を委託したい企業と加工企業をマッチングする受発注プラットフォームのＣＡＤＤｉなどが生まれている。

8 日本─新興国製造業プラットフォームへの発展

新興国の政策を支援

サプライチェーンやケイレツを組織して企業を超えた連携を行ってきていた日本企業に

とって、これらの企業をつなぐことで、デジタルケイレツとして、さらには生産シェアリングプラットフォームとして展開していくことは有効である。そして、これらをさらに発展させ、国横断で展開するモデルが、「日本―新興国製造業プラットフォーム」である。

日本企業のデジタルケイレツを新興国企業群へ拡大し、そこで共有されるデータやノウハウに基づいたアプリケーション・ソリューションを開発し、参画企業全体としての競争力強化を図っていく形である。より多くの企業の参画を促すうえでも、半官半民の形で進めていくことが有効であると考えられる。

前述のコニカミノルタの事例では、産業のデジタル化・底上げを図っていこうとするマレーシアの産業政策「インダストリー４ＷＲＤ」に即していることからも、州政府やマハティール首相（当時）を含めた政府の協力・バックアップを得て、活動のインパクトを拡大することにつながっている。

新興国政府として自国単独でのデジタル投資や、製造業としての競争力強化に課題を感じているケースは多い。マレーシアに限らず、タイ、インドネシアなど、デジタル時代における産業の強化のために政府が積極的にスキームを作り、支援をするケースが増えてきている。

・マレーシア：インダストリー4WRD
・タイ：タイランド4・0
・インドネシア：メイキング・インドネシア4・0
・シンガポール：スマートネーションショ ン政策
・インド：メイク・イン・インディア政策

日本企業としてはこれらの政策に即した展開を行うことで、産学官の協力を得て当該国で産業を超えた拡大を図ることが可能となる。たとえば先述のデンソーのタイにおけるLASIプロジェクトにおいては、タイ政府をはじめ産学官の協力を得て国家政策の目玉として位置づけられ、政府からの強力なバックアップを受けることにつながっている。

先行するドイツ・中国

企業のデータ接続においても、産業政策として位置づけられ、たとえば接続するためのセンサーやプラットフォーム利用に当該国の補助金を受けられるスキームなどが構築できると、自社単独のアプローチだけでなく、より多くの当該国企業のデータを蓄積し、デジタルケイレツ化を図ることができる。現地政府からこれらの取り組みについて日本企業や産業に期待する具体的な声も出ている。

ものづくり分野において、産学官との連携によって新興国で優位なポジションを形成する動きは、ドイツや中国が先行している。

たとえばシンガポール経済開発庁（ＥＤＢ）はインダストリー４・０に対する企業の対応状況を評価するための指標スマート・インダストリー・レディネス・インデックス（ＳＩＲＩ）を開発し、アジアにとどまらず世界中の企業の評価・コンサルティング指標として活用されている。この取り組みにおいては、ドイツのアカテックが作成した企業のインダストリー４・０対応成熟度指標のマチュリティ・インデックスが大きな影響を与えている。他にもシーメンス、ＳＡＰや標準化機関のテュフなどが作成に大きな役割を担っている。

また、中国は自国企業のデジタル技術を活用したスマートシティ化や産業のデジタル化においてトップ外交を行い、産業における影響力を高めている。

東南アジアをはじめとした新興国におけるものづくりとしては、日本企業はこれまでは物理的な部品調達・供給の中での現地のサプライヤー育成や、現地拠点・工場における人材や技術育成で産業を生み支えてきた歴史がある。しかし、デジタル化の中での新興国産業支援の動きとしては、ドイツや中国に後塵を拝しているのが実態である。これら産学官

図表39●新興国における日本―新興国製造プラットフォーム構想

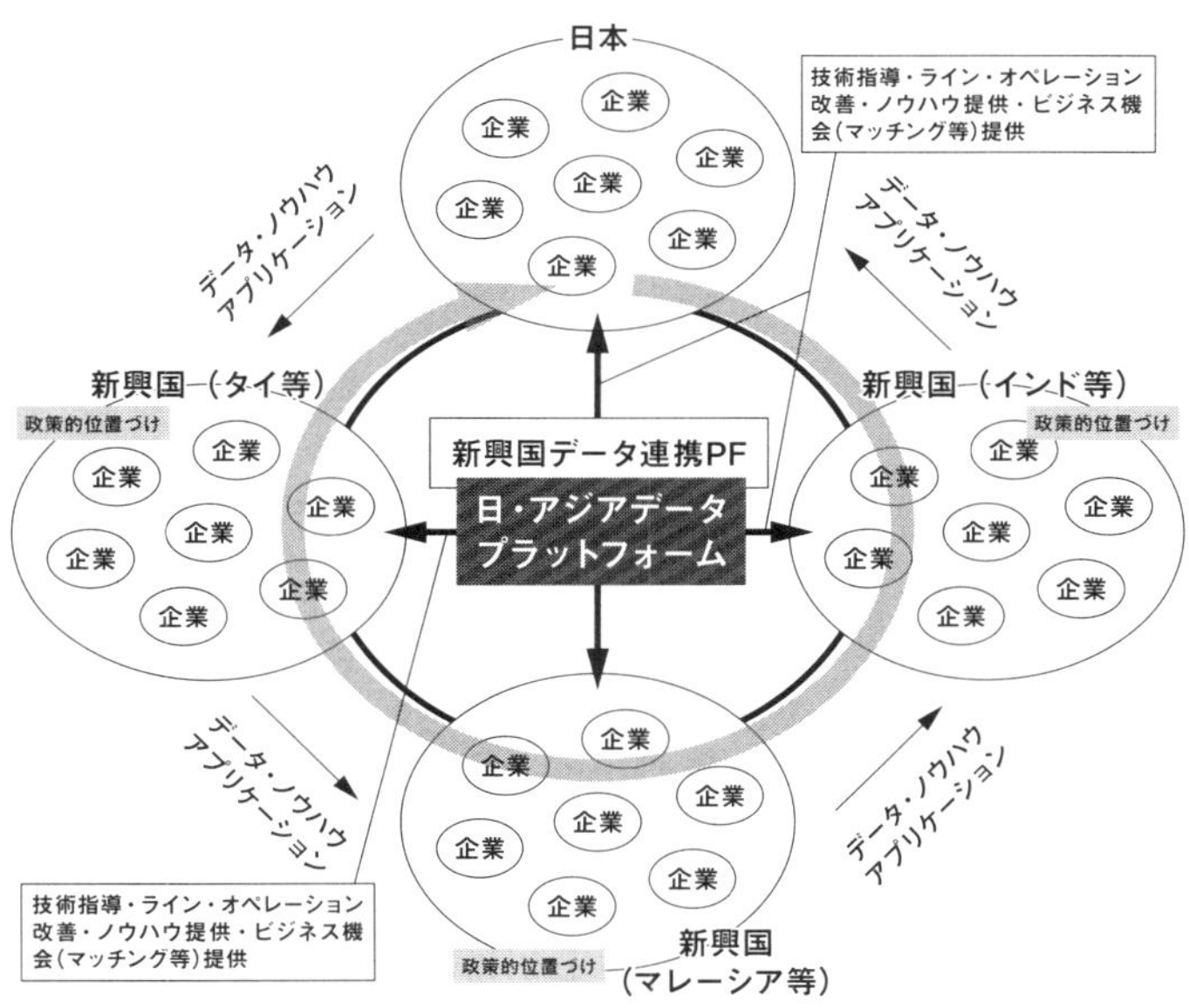

でのスキームづくり、つまり「ゲームのルール形成」の時点で日本は遅れてしまい、民間企業の技術力・競争力が発揮される前段階で負けてしまうケースも多い。これらの取り組みのスピードを上げていかなければ、アジアにおける日本のものづくりの影響力が失われてしまうのもそう遠くはないだろう。

現地のものづくり・人材に寄り添う日本のアプローチを、デジタル時代のアプローチへとアップデートし、データ・ノウハウ共有の仕組みを通じて、新たな新興国企業との連携・データ蓄積のあり方、それらを通じた競争力のあるビジネススキームを構築することが期待される。

9 ドイツのインターナショナル・データ・スペース

データ連携プラットフォームに関連して、欧州においては企業・業界を超えたデータを共有し、新たな付加価値・競争力を創出する動きが進みつつある。ドイツのフラウンホーファー研究機構（欧州最大の応用研究機関）が中心となり設立された「インターナショナル・データ・スペース（ＩＤＳ）」や、ドイツ・フランス・欧州連合が中心となりＩＤＳ

とも連携して整備が進められている「ガイアX」などである。

前者のIDSにおいては、フラウンホーファー研究機構とともに、アウディ・ダイムラー・ボッシュ（自動車関連企業）、ドイツテレコム（通信企業）、バイエル（化学企業）、ドイツ銀行・アリアンツ（金融機関）、ドイツ鉄道（鉄道会社）、SAP・グーグル・マイクロソフト（IT企業）、シーメンス（コングロマリット）などの120を超える企業が参画し、産業をあげた取り組みになっている。

実際に製造シェアリングプラットフォームや、サプライチェーン統合情報プラットフォームなどの数十のユースケースが生まれ、ビジネス実装されている。特にコロナ禍において有事の際のサプライチェーンのレジリエンス（回復力）が注目されている中で、生産計画や稼働状況など、企業の踏み込んだデータの共有も含めた積極的な検討がなされている。

日本企業のIDS参加は、NTTと日立製作所に限られている。また日本国内においても、企業を超えたデータ共有の取り組みは、プロジェクトが立ち上がるもののうまく進まないケースが多い。

その背景としては、データすべてを秘匿すべき自社の競争力の源泉であると捉えてしまい、振り分けができていないことが大きい。①自社の競争力の源泉としてクローズドにする情報と、②他社と共有することによって新たな価値を生み出す情報とに振り分け、他社とのデータ連携を加速していく必要がある。

ＩＤＳの取り組みにおいても、ドイツ企業が最初からうまくデータ連携をできていたわけではない。たとえば製造業企業の生産財の使用情報と、サプライヤーの在庫情報を共有するなど、まずは事業への影響度が小さく、センシティブでない情報の共有から始めている。そこで成功体験を積むことで、徐々にデータ共有のハードルを下げていったという。

日本企業においても、企業間データ連携におけるデータの取り扱いの振り分けを進めることが求められる。

第7章

パターン④
工程・現場の熟練ノウハウ・技術を売る

1 「熟練工ーｏＴ」の登場

そもそも「現場力」とは何か

続いて工程・現場技術・ノウハウを活用するものづくりプラットフォーム展開である。日本の製造業は従来から「現場力」が強みであると言われてきた。現場力は経済産業省によるものづくり白書（２０１８）では下記と定義されている。

【現場力の定義】「暗黙知」や「職人技」を駆使しながら問題を発見し、企業や部門を超えて「連携・協力」しながら課題「解決」のための「道筋を見いだせる力」

自然災害や不測の事態が起こった際などでは、日本の製造業の現場力がメディアなどで注目されることが多い。各現場で自律的に対応を考え、復旧やダメージの最小化のためにそれぞれが行動を起こす姿からだろう。それと同様に、日々のものづくりプロセスにおいても現場のそれぞれの技能者が主体性を持ち、自律的に動く「現場力」が発揮されてきて

図表40●工程・現場ノウハウを活かしたものづくりプラットフォーム

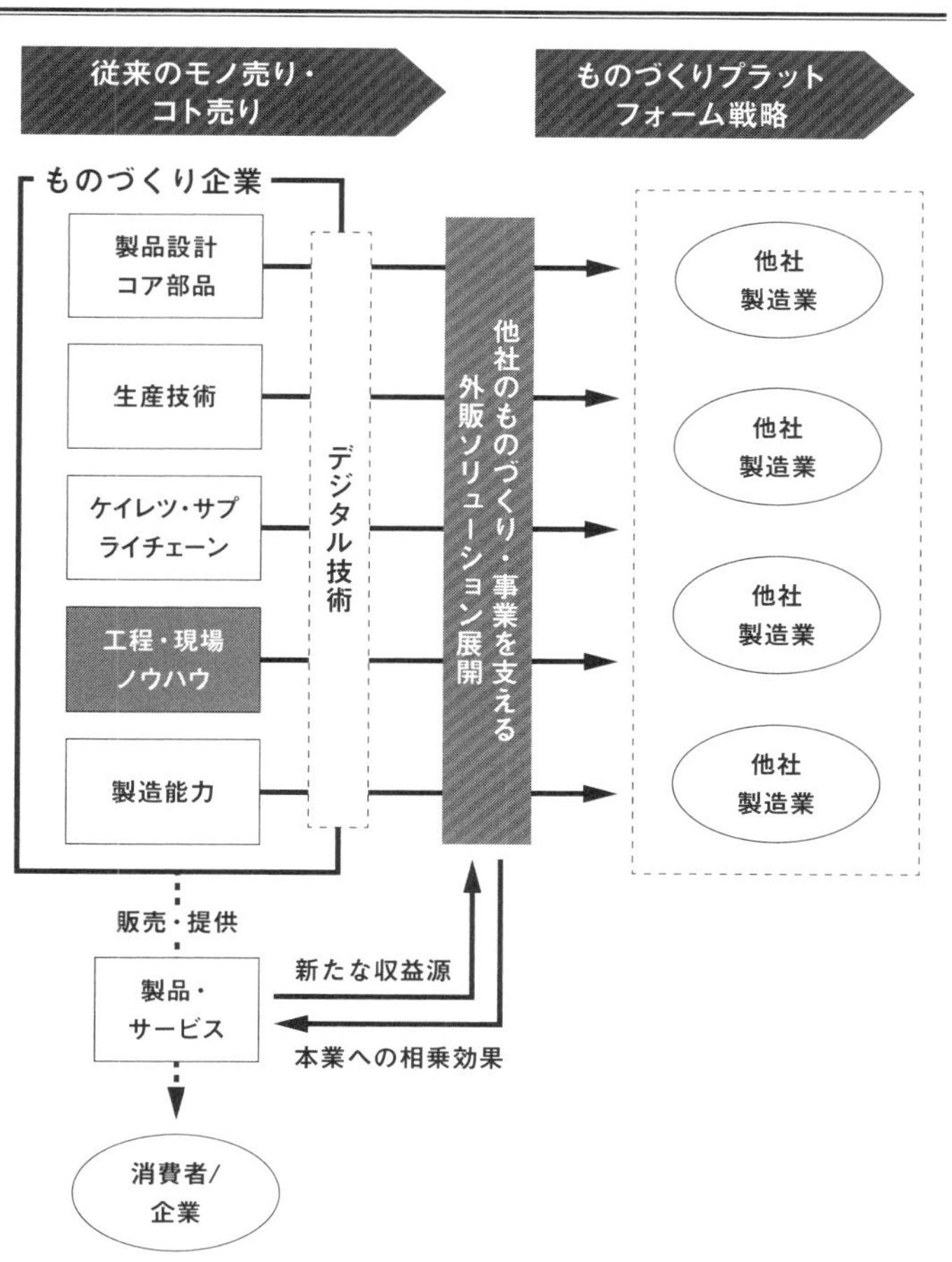

いる。常によりよい生産性・品質を目指し、ラインや製造オペレーションのカイゼン検討がなされボトムアップで高度化が図られているのだ。

日本発の現場も含めた全員参加の生産保全のありかたはＴＰＭ（Total Productive Maintenance）として体系化されており、世界で拡がっている。

それら現場力の強みを表す象徴とされているのが「トヨタ生産方式」である。これはトヨタ自動車のものづくりの基本となる考え方であり、世界中の企業が研究し、多くの製造業で取り入れられてきたコンセプトだ。

トヨタ生産方式の2つの柱

ここでトヨタ生産方式とはどのようなものかを簡単に振り返りたい。定義はいくつか存在するが、原典としてトヨタ自動車のホームページでの記載をよりどころとしたい。トヨタ生産方式は下記の２つを柱としている。

・【ジャストインタイム】各工程が必要なものだけを、流れるように停滞なく生産する考え方

・【自働化】異常が発生したら機械がただちに停止して、不良品を造らない

この2つをはじめとした考え方のもと、現場レベルで徹底的にカイゼン活動を繰り返すことにより生産性・品質を高めてきたのだ。その過程の中で、アンドン（異常が発生したら即時に関係者が知ることができる電光表示盤）や、かんばん方式（何がどれだけ必要かを表す道具で後工程が前工程へ部品を引き取りに行くタイミングと引き取り量を指示するもの）といった工夫が、現場から常に生まれてきた。

これらの取り組みの中で、日本企業は製造現場の熟練技能者、つまり「人」を中心にノウハウ・知見を蓄積してきた。しかし、現状では熟練技能者の高齢化・退職による技能伝承が課題となっている。

先述のとおり、製造業のデジタル化としては、製品設計やライン設計の3D化や、IoT活用による機器管理など、デジタル化が「しやすい」分野から進んできている。たとえば機器の動きに関しては、センサーを通じて得られた振動・電流・稼働状況の数値データをモニタリングすることで管理・分析が可能となっている。

しかし、熟練技能者をはじめとする人の作業をデジタル化・数値化することは難しく、進んでこなかった背景がある。人の動きや作業を分析するためには、複数のセンサーの組み合わせとともに、大容量の画像・映像の分析なども必要となる。そのうえ、どのような作業であればより生産性や品質として高いのかといった基準・閾値の設定は個別に検討する必要があり手間がかかる。

このことからも、人や熟練技能者の動きはデジタル化が「しづらい」分野であったと言える。これらの領域を「熟練工ＩｏＴ」と呼びたいが、まさに熟練工ＩｏＴはデジタル化の中でホワイトスペースとなっていた部分であり、かつ日本の製造現場として強みを展開していくうえでの機会となり得ると言える。各工程・現場の技術・ノウハウをていねいにデジタル化していくことで、競争力のあるサービスに転換していける余地は大きい。

技術的な基盤は整ってきている

技術面では5Ｇ技術の進展により、大容量の画像・映像の分析が可能になっていることや、センサーの価格低下により人の動きの分析の技術・費用面でのボトルネックが解消されつつある。また、ソニーのインテリジェントビジョンセンサーをはじめＡＩ搭載型センサーによって画像情報をあらかじめエッジ側で処理してデータ容量を最小化した結果をクラウドに連携するといった技術も生まれており、手段は整ってきている。

たとえば空調メーカーのダイキンが、日立製作所と連携して、部材接合手法のろう付け工程において熟練工の動きを標準化している。当該工程では、ろう付け対象材料の温度、

図表41●日本の強みとすべき現場からのデジタル化

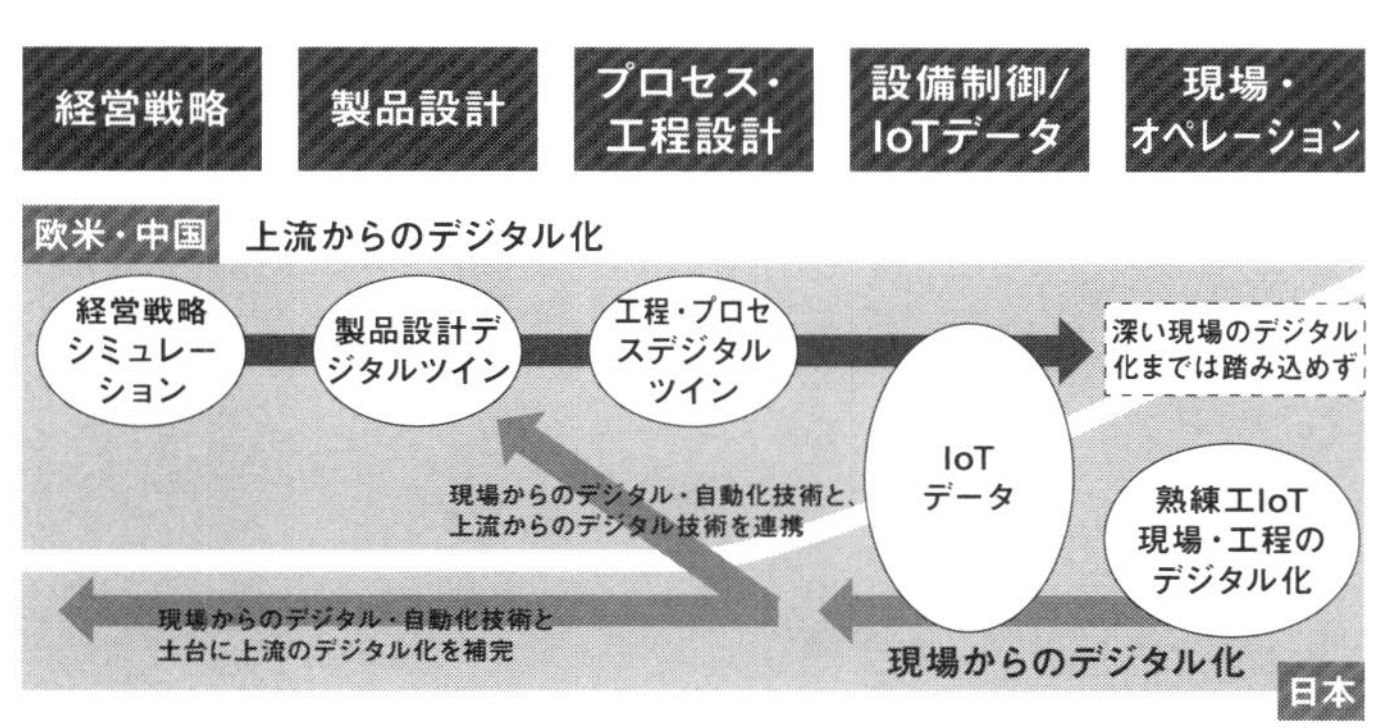

作業者の目線・姿勢、トーチや給線を持つ作業者の右手・左手の動き、ろう付けの角度・タイミングなどに熟練技術やノウハウが必要となる。これらを各種カメラ・慣性センサーなどによるセンシングと画像解析を活用して測定・定量評価を行うことで熟練技能者の作業標準化を実施しているのだ。

これにより熟練技能者でない作業者の評価・改善点のフィードバックを行う仕組みを構築し、工程のグローバルでの効率的な拡大とともに、品質安定化を実現している。これら日本企業には競争力の源泉となる熟練技術・ノウハウが各工程や現場に蓄積されている。デジタル化によって、自社における技能の伝承や、グローバルでの製造ノウハウの効率的な移転、品質の平準化などにとどまらず、グローバルで外販・ソリューション展開を行うチャンスとなり得る。

工程・現場の熟練ノウハウ・技術を活かしたものづくりプラットフォーム展開事例としては武蔵精密工業が展開するＭｕｓａｓｈｉＡＩの取り組みを紹介する。

2 武蔵精密工業のAIソリューション外販企業

「搬送・検査」に的を絞る

武蔵精密工業は１９３８年創業の自動車部品メーカーであり、エンジンの回転数を走行に適した回転数に変換するトランスミッションギアなどを主要製品としている。同社は２０１９年にイスラエルＡＩ企業のＳｉｘＡＩと合弁でＭｕｓａｓｈｉＡＩを設立し、他社製造業へのＡＩ活用ソリューション外販を展開している。

同社は、加工工程と比較して各社共通の解を見出しやすい搬送・検査工程にフォーカスし、ＡＩソリューションや自動化機器について取り扱っている。同社ではものづくりプロセスを大きく３つに分け、かかっている人員数割合を下記のように定義している。

図表42●武蔵精密工業のものづくりプラットフォーム展開

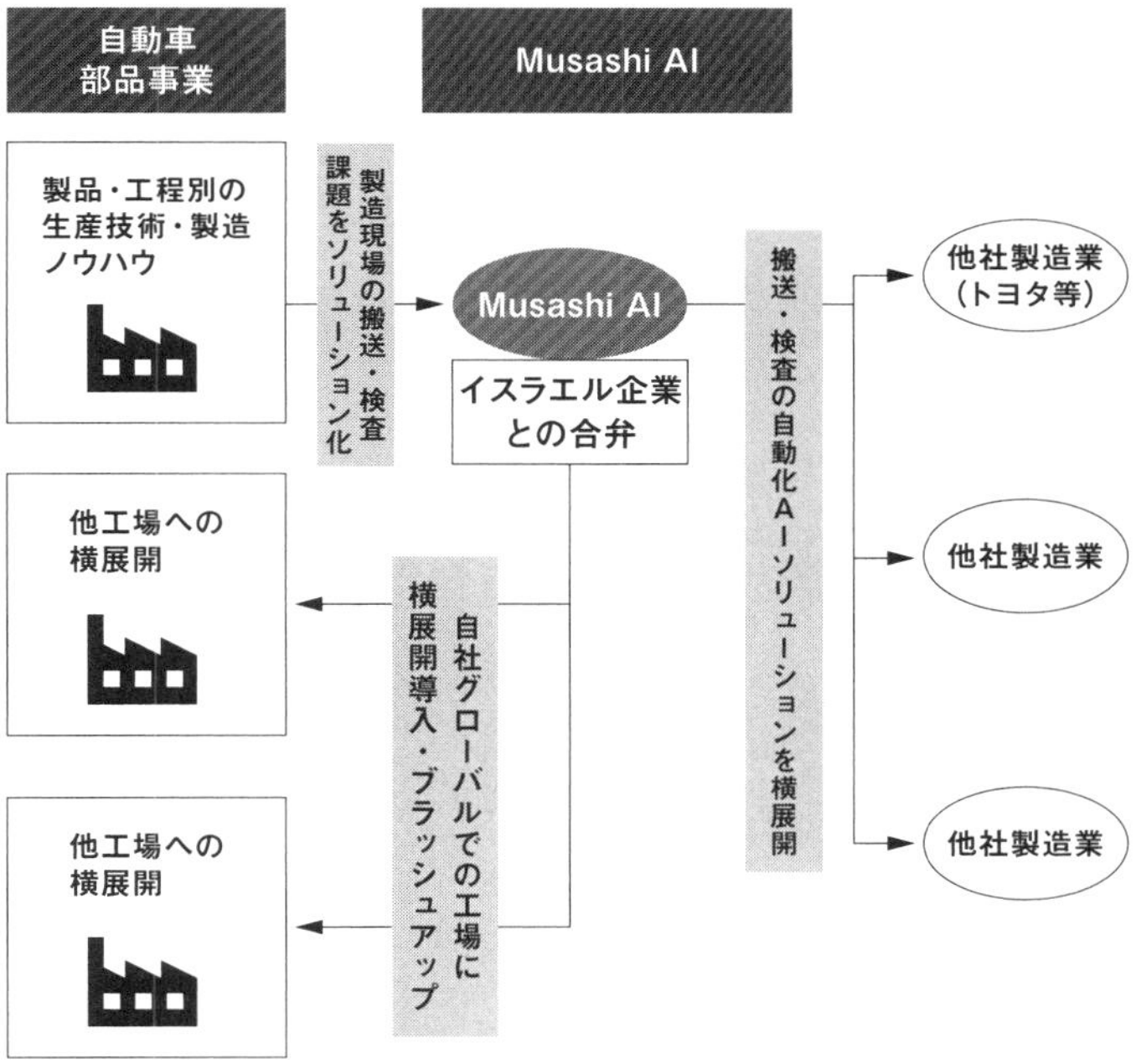

自動車部品事業

Musashi AI

製品・工程別の生産技術・製造ノウハウ

製造現場の搬送・検査課題をソリューション化

Musashi AI

イスラエル企業との合弁

搬送・検査の自動化AIソリューションを横展開

他社製造業（トヨタ等）

他社製造業

他社製造業

他工場への横展開

自社グローバルでの工場に横展開導入・ブラッシュアップ

他工場への横展開

AI外観検査装置

無人搬送車

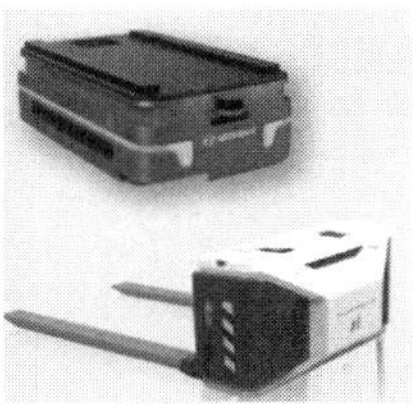

・搬送（人員割合20％）
・加工（人員割合60％）
・検査（人員割合20％）

そのうち搬送・検査工程は外部技術を活用するポテンシャルが大きいとともに工場内で作業に従事している人員のうちそれぞれ20％ずつ、合計40％の人員がかかっていると分析している。そこに自動化の展開余地があると自社課題から着想し、自社展開と同時に他社製造業への外販を行っているのである。搬送の自動化を図る無人搬送車と、ＡＩ外観検査装置などの展開を図っており、トヨタ自動車をはじめとした外部企業の受注が拡大している。

外販できる技術の「振り分け」が重要

同社の取り組みにおけるポイントは、①武蔵精密工業のユーザー企業としての課題・フィールドと、②外部ソリューション企業としてのイスラエル企業とのシナジーである。

まず1点目であるが、ものづくり企業として日々の業務で改善を重ねてきたうえで感じている課題を持っていることはアドバンテージとなる。この課題がものづくり企業のコアニーズであり、その部分を解決できる機器・サービスを作ることが競争力のある商材創出につながる。

この課題の着想とともに、作りあげたソリューションを試してブラッシュアップする実証の場としての製造拠点を、グローバルで多数保有しているという強みを活かした展開を行っている。

そのうえで、ＭｕｓａｓｈｉＡＩの展開において欠かせない要素が2点目のイスラエル企業との連携である。これについてもトップのコミットメントが欠かせない。武蔵精密工業の大塚社長が今回の連携をスピーディに実現しているとともに、ノウハウの塊であるソリューションを競合も含む他社へ外販することについて全社理解のうえで進めることができている。

日本企業のノウハウ外販にあたっては、競争力や付加価値を最大化できるのが自社の知見が深い同業向けである一方で、競合の支援を行うことに対して経営陣からストップがかかることも少なくない。それら日本企業の中には、何が他社には出せない秘匿領域であり、何が外販できる非競争領域かの振り分けができておらず、やみくもに拒否反応を示しているケースも多い。

日本企業として、ノウハウのソリューション展開にあたっては社内の意思決定をスムーズに行ううえでも競争力領域と非競争領域の振り分けが重要となる。

3 工程・現場力を売る先進日本企業たち

メガプラットフォームを活用

武蔵精密工業のほか、この領域に強みを持つ日本企業は多く、他社に展開している企業が多い。自社工場での改善活動や、工程をもとに外販するケースがよく見られる。三松やＬＩＧＨＴｚは自社のノウハウをアプリケーション化し、既存のメガプラットフォームを活用することで効率的なグローバル展開を図っている。詳細は拙著『日本型プラットフォームビジネス』を参照頂ければ幸いである。

・日立製作所（自社のものづくりで培ったデジタル化の仕組みを土台にＩｏＴプラットフォームのルマーダを展開）

・ダイキン（自社ものづくり業務を支えるＩＴの仕組みを外販し、品質情報管理などの業務システムであるスペースファインダーを展開）
・キユーピー（食品原料検査のノウハウをＡＩ検査機器として外販し、競合も含めた業界全体へ展開）
・旭鉄工（自社の仕組みを外販し製造ＩｏＴソリューションのｉＸａｃｓを子会社のｉ-スマートテクノロジーを通じて展開。日本とともにタイなどでも展開）
・三松（自社で構築した３Ｄ設備シミュレーター「スマッシュ」をＣＡＤプラットフォーマーのオートデスク、ダッソーを通じて展開）
・ＬＩＧＨＴｚ（関連会社の金型メーカーＩＢＵＫＩ熟練技能者のノウハウをアプリケーションとしてデジタル化した金型管理ＩｏＴプリ「ｘブレインズ」をシーメンスのＩｏＴプラットフォームのマインドスフィアを通じて展開）

今後日本企業が工程・現場の熟練技能を活かしたものづくりプラットフォーム展開を行っていくうえで、暗黙知の技術・ノウハウを標準化・体系化していくことが重要となる。その際に活用可能なソリューションとして、①リアルタイムフィードバックソリューション（オムロン・富士通・三菱電機）、②熟練技能伝承ロボット遠隔操作ソリューション

（川崎重工業）について触れたい。

人の動きのデジタル化へ：オムロン・三菱電機・富士通

まず熟練技能者の動きを分析し標準化していくためのソリューションに触れたい。

オムロンはNTTドコモ、ノキアグループと共同で作業者の作業動線や動きを撮影した映像データなどを収集し、AIで解析することで、熟練者との違いを作業者へリアルタイムにフィードバックを行う「リアルタイムコーチング」の取り組みを実施している。無数のセンサーを同時にネットワークに接続しつつ、低遅延でAIの処理結果をフィードバックさせる必要があることから5Gの特徴である大容量、高速性との親和性が高い。

また、富士通も作業者の骨格の動きを可視化する独自技術と、ウェブカメラで撮影した映像のAIを活用した画像診断を組み合わせ、作業者が通常と異なる動きをしたり、本来行うべき作業が抜けている場合、即座にアラートを出す仕組みを構築している。

熟練工の動きとの違いが目視ではわからないミリ単位での精緻な分析を実施するために、4K／8Kの高精細カメラの活用を想定しており5G拡大を通じてソリューションの拡販を図っていく計画である。同様に三菱電機も独自に開発したAI技術「マイサート（Maisart）」を用いて、カメラ映像から人の骨格情報を抽出・分析し、特定の動作を自動

図表43●オムロン・富士通・三菱電機による熟練工作業分析IoTの取り組み

オムロン
「リアルタイムコーチング」

出所：オムロン提供

富士通
「骨格分析」

出所：富士通提供

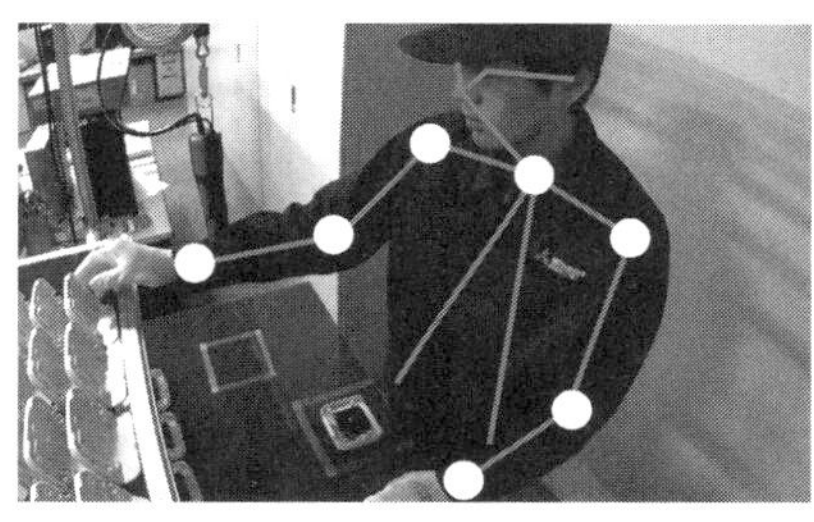

三菱電機
「Maisartを使った作業動作分析」

出所：三菱電機提供

検出する作業分析ソリューションを展開している。

熟練技能伝承のためのロボット遠隔操作ソリューション：川崎重工業

続いて熟練技能者が行っているプロセスをロボットの遠隔操作により標準化していくソリューションについて触れる。

熟練技能のロボット化においては、自動化が必ずしも技術的・コスト的に最適解でないケースもあり、遠隔操作の活用も論点となる。すでに建設領域では建機、医療では手術ロボットの遠隔操作が提案されているが、製造工場においてもこれらの遠隔操作と、それを支える5G技術が求められている。

たとえば川崎重工業が提案する遠隔協調システム「Successor（サクセサー）シリーズ」は、研削や塗装のような3K（きつい・汚い・危険）職場にあり、かつ完全自動化が難しい工程において、熟練作業者がロボットの遠隔操作を行うことで作業環境を改善し、またその動きをロボットに学習させていくことなどによって熟練技能のロボットへの伝承・自動化を図るものである。

現状は工場内の別室からの近距離での操作が想定されるが、今後の熟練工不足やデジタル化の波の中で遠隔地から操作したいというニーズも想定されており、5Gとの組み合わ

図表44●川崎重工業 ロボット遠隔操作ソリューション（Successor）

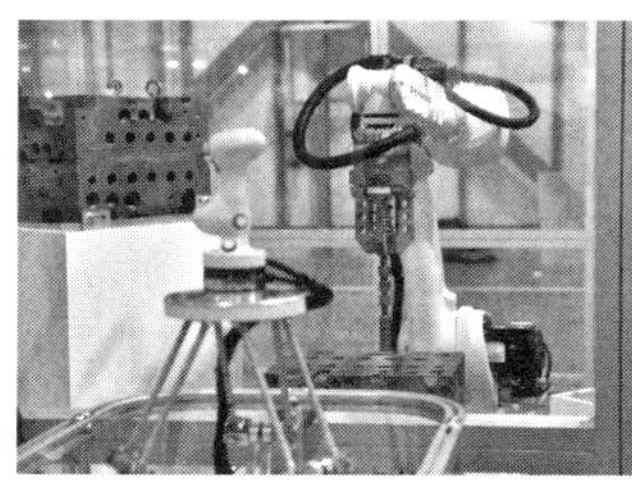

出所：川崎重工業提供

せが有効となる。同社はローカル5Gを活用した播磨工場内での遠隔操作の実証実験に着手するとともに、中長期で遠隔地の工場間や建設現場間で遠隔操作への適用を目指している。

ものづくり企業としては、以上のようなソリューションを活用して、自社熟練技能工程を標準化・外販遠隔操作パッケージ化し、展開を図っていくことも有効な戦略となる。

4 各産業・世界に拡がる熟練工ＩｏＴのニーズ

高齢化による熟練工の退職と技術の断絶、働き方改革にともなう現場の人材不足、コロナ禍における物理的接触を最小化したオペレーションの必要性――このように、現場の熟練ノウハウを継承・標準化することが製造業にとって喫緊の課題である。

続いて大きな業界カテゴリーごとに熟練工ＩｏＴの必要性や、課題について触れていきたい。自動車・電機・機械をはじめとする組立産業（ディスクリート産業）と、化学・石油・製鉄などプラント産業（プロセス産業）においてライン特性・課題が異なるため、それぞれについて記載する。

ディスクリート産業（組立産業）における課題

ディスクリート産業は、ＤＣＳ（Distributed Control System）などでプロセスが統合管理され人手があまりかからない工程になっている後述のプロセス産業（オイルガス、化学、製鉄など）と比較して、各工程や運搬・投入材料管理といったマテリアルハンドリングなどがそれぞれ細分化しており、ロボット化・自動化は進んでいるものの、作業員が関与する工程は多い。

特にマテリアルハンドリング工程においては、加工工程と比較して、投資予算が限定的だったり、当該領域の自動化の専門検討チームがなかったりすることがよくある。また、いわゆるトヨタ生産方式における「みずすまし」が各工程を共通で掛け持ちして循環し、運搬・投入業務を行う仕組みとなっており、個別工程単位での自動化による省人効果は限定的であった。

そうした事情から、これまでマテリアルハンドリング工程については投資があまり進んでこなかった。これらマテリアルハンドリング工程においては、ポカミス防止や人手不足などによる人依存業務の見直し、さらにはマスカスタマイゼーション・多品種少量生産などのフレキシブルなものづくりの実現といった観点から、ヒトを支援する作業者ＩｏＴの投資余地が大きい。

また、各個別工程においても、多品種小ロット生産における段取り替えや、ロボット化しづらい工程での溶接オペレーションなど、現場のノウハウに依存しているケースは多い。現場では、各人の暗黙知にもとづいた「気の利いた」行動や、チーム内において「背中で伝承」される技術が主流となっている。

こうした業界特性や、工程特性に応じて、伝承・標準化のための熟練工ＩｏＴのありかたを検討するとともに、ものづくりプラットフォームとして外部展開していくことが重要となる。

プロセス（プラント）産業における課題

プロセス産業の中でも、業界によって生産現場の特性や工程の自動化度合いは異なる。たとえば製鉄や化学・石油化学などの業界においては、作業員の安全確保を目的として、すでに多くの工程で自動化は進んでおり、現場に作業員を配置する必要がないことも多い。

このような業界では、緊急時や事故発生時など、通常のフローでは対応できないような場面において熟練工のリカバリーノウハウが求められることがあり、作業手順そのものよりも、非常時対応に向けた熟練工のノウハウの形式知化が求められる。

一方、食品や薬品などの多品種少量生産の場では、原料の投入や温度の調整など、機械よりも人手で行った方が効率が良い作業も多く、自動化されていない工程は多数残っている。

どちらにも共通する課題は、熟練工が長年の経験と勘で行う微妙な判断を、いかに形式知化し、技能伝承していくことである。これらを先んじてデジタル化し、熟練工ＩｏＴとして展開できると、競争力のあるソリューションとなり得る。

5 オールジャパンによる熟練工ＩｏＴプラットフォーム

ここまで述べてきた通り、幅広い産業、国や地域において現場・工程の熟練技能をデジタル化していくことが喫緊の課題となっている。先述の通り、製造業のデジタル化領域では、ＰＬＭ・工場シミュレーターなどではプラットフォーマーであるＤＡＰＳＡをはじめとして世界のデファクトが形成されつつあり、設備を中心としたＩｏＴプラットフォームはレッドオーシャンとなりつつある。独シーメンスのマインドスフィア、米ＰＴＣによるシングワークス、ファナックによるフィールドシステムなど、多くの企業が設備管理を中心としたＩｏＴプラットフォームを展開している。

そうした中でも、現場・工程の熟練技能のデジタル化は拡がりきっていない。日本の強みである、各現場・工程に蓄積されている熟練技能者のノウハウをＩｏＴ化することで、競争力のあるプラットフォームとしてグローバル展開できる可能性が高まる。

工程の範囲が多種多用であることもあり、1社ではこれらの領域をカバーできない。そのため、搬送工程に強い企業、樹脂成型に強い企業、金属加工に強い企業、組立工程に強い企業、検査工程に強い企業などが連携しなければならない。工程ごとに強みを有する企

図表45●日本をあげた熟練工IoTプラットフォーム展開のポテンシャル

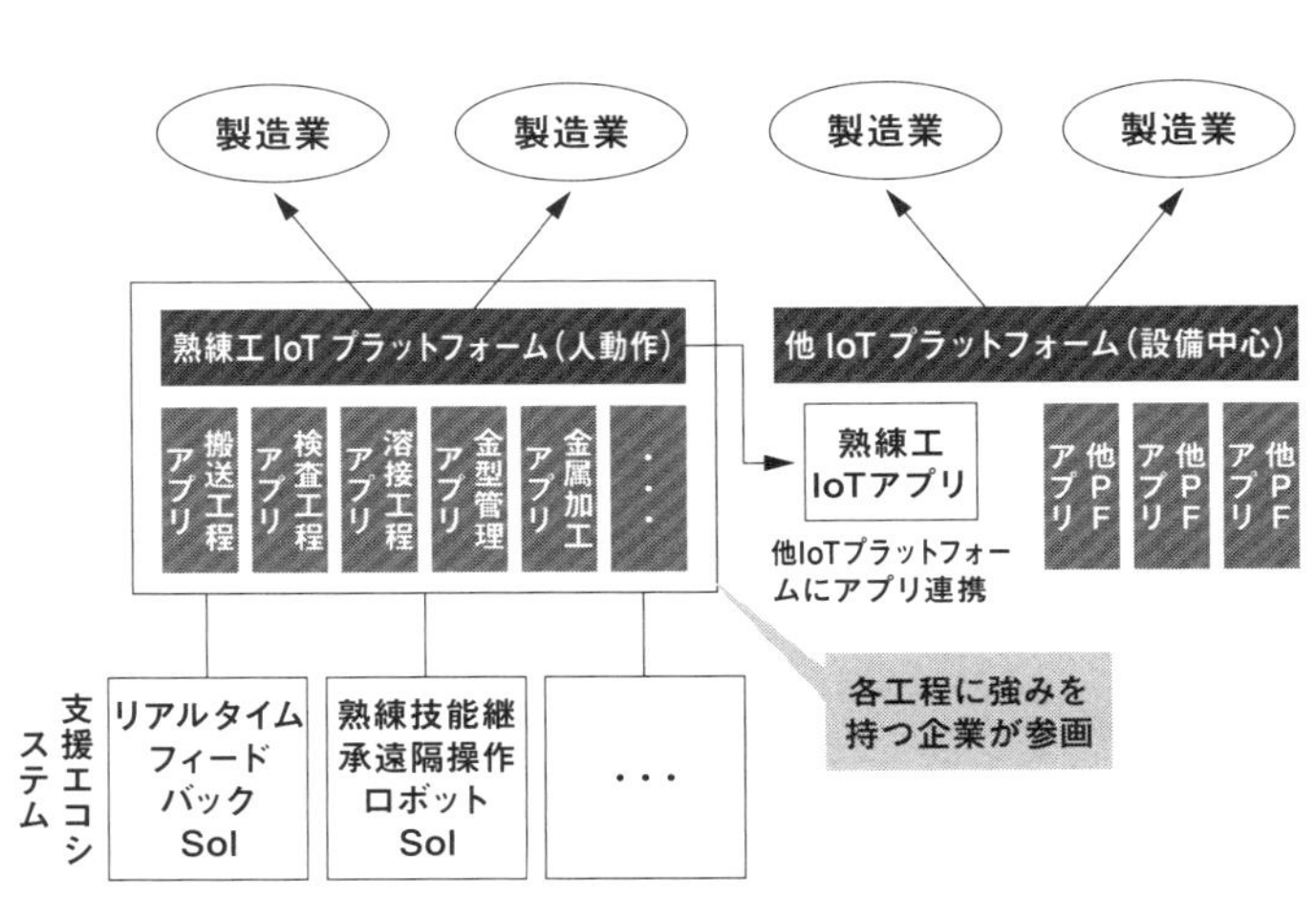

業で連携を行い、オールジャパンで熟練工ＩｏＴプラットフォームを展開していくことも一手だ。

これら①工程ごとの技術・ノウハウを持つ企業とともに、②リアルタイムフィードバックや、熟練技能の遠隔操作ロボット伝承ソリューションなどにおける工程／現場ノウハウ・技術の標準化・パッケージ化を支援する企業、さらには③ロボット・搬送機などの機器・ソフトウェア企業との連携が必要となる。

展開にあたっては、熟練工ＩｏＴプラットフォームとして顧客へ直接ソリューション提供を行うとともに、すでに顧客に活用されている設備系のＩｏＴプラットフォームと連携して効率的に展開することも有効である。グローバル大手ＩｏＴプラットフォームの多くでは、設備管理関係のアプリケーションのラインアップは充実しているが、人・熟練工ソリューションはホワイトスペースとなっており、連携余地が存在する。

彼らは競争力のある外部企業が展開するアプリケーションを、プラットフォームのマーケットプレイスを介して展開しており、彼らを通じて熟練工ＩｏＴアプリケーションを展開できれば、効率的なグローバル展開が可能となる。

第 8 章

パターン⑤
製造能力を売る

1 高まるＥＭＳ・ＯＤＭの重要性

ここでは、製造能力を活かして他社のものづくりを支援するアプローチについて解説したい。製造能力を提供するビジネスモデルとしては、電子機器の製造を受託する企業を意味するＥＭＳ（Electronics Manufacturing Service）が比較対象となる。

ＥＭＳとしてはｉＰｈｏｎｅや任天堂Ｗｉｉなどの製造を担い、シャープを買収した台湾の鴻海精密工業（フォックスコン）が著名である。ＥＭＳは歴史的に１９８０年代からシリコンバレーでＩＢＭやＨＰなどのＰＣ関連企業が製造を委託する中で拡大し、メーカーによる製造部門の売却などを通じて徐々に成長していった。

日本においてもソニーなどのエレクトロニクス企業がＥＭＳ企業への製造機能の売却・委託を進めていった背景がある。現在では、フォックスコンを中心とする台湾勢や、シンガポールを本社とするフレックス、北米本社のジェイビルやサンミナなどがグローバルで展開している。

従来は新興国に製造拠点を置いたり、複数メーカーから同様の製品を受注して規模の経済を働かせたりすることで安い製造コストを実現し、それを武器に拡大してきたが、現在

図表46●製造能力を活かしたものづくりプラットフォーム展開

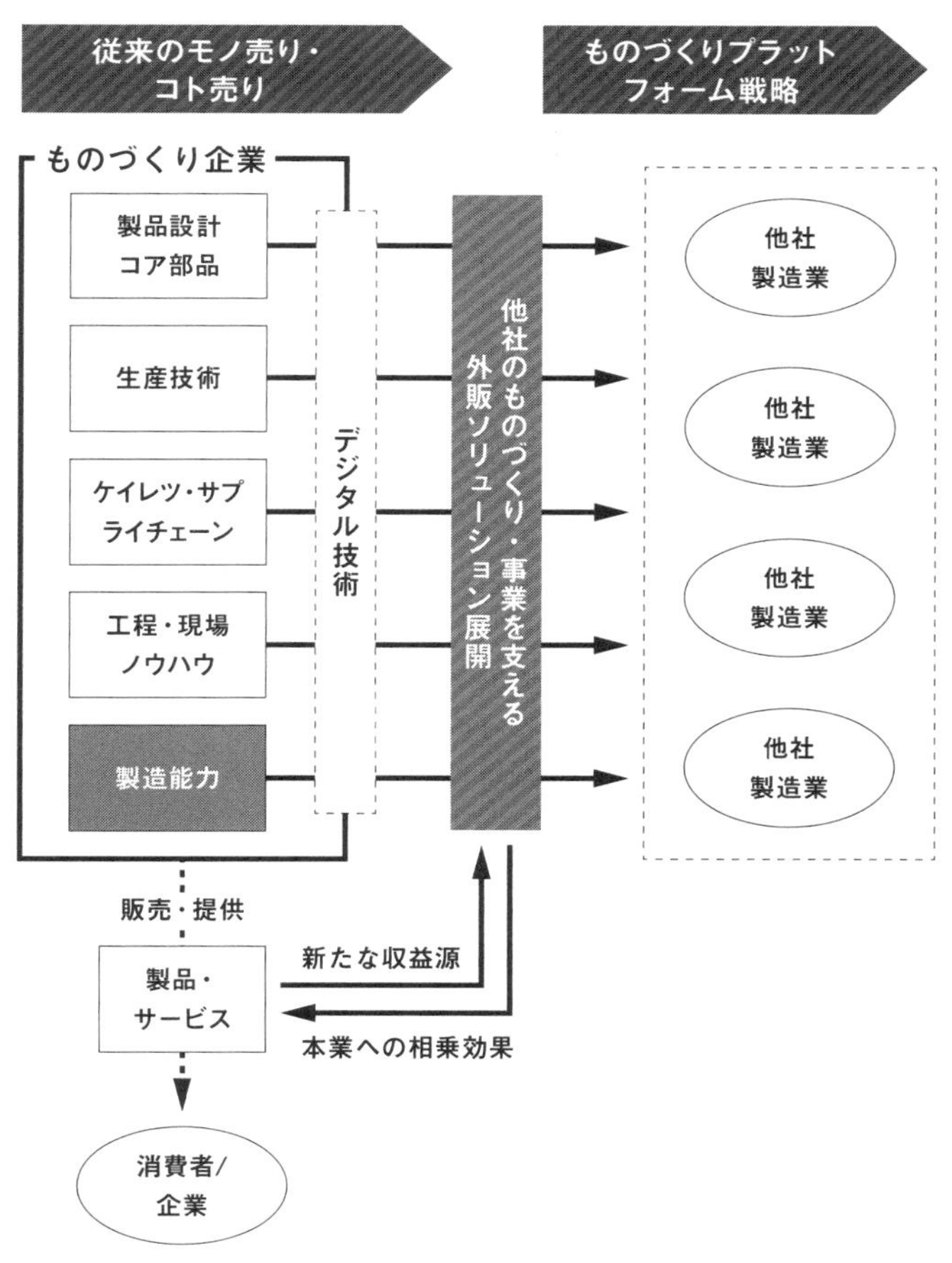

ではその役割や機能も大きく広がってきている。

多くの産業・企業の製造ニーズに応えてきているノウハウを活かして、自社R＆Dセンターで先端生産技術・ラインの開発を行い競争力や製品開発力を強化することで、顧客の製品設計・開発段階から関与を行う形で機能を拡充してきている。今まで自動車メーカーと製品を共同開発し提供してきたティア1部品メーカーが、グローバルのEMS企業と競わされている構造になっていることは先述した通りだ。

また、製造拠点を持たずとも、アイデアや構想があれば、それを持ち込んでものづくりに参入してくる企業が多く生まれてきているが、それもEMSやODM（製品設計・開発＋製造受託企業）が支えている面が大きい。今後ものづくりの水平分業がより加速する中で、EMS・ODMの重要性が増していっているのである。

加えて、日本の製造拠点の置かれている状況として、自社が自部門の生産部門を必ず活用するといった前提が崩れつつある。製造組織が別会社・組織化され、外部EMSと競わせられる形になっているのである。

製造組織・企業としては、自社の製造のみを行うといった前提にとらわれずに、他社への製造能力提供も含めて競争力強化・収益源の拡大を図っていくことが必要となる。そのことによって、外部顧客視点のフィードバックが入り、結果として本業である自社のもののづくりの提供価値強化にもつながってくるのだ。

ただし、日本のものづくり企業としては、製造能力を活かした「ものづくりプラットフォーム」展開を行ううえで、グローバルＥＭＳに対して真っ向から勝負したとしても、コスト競争力などの観点から勝ち目はない。日本企業の製造部門として蓄積してきた技術やノウハウを活用した展開が必要となる。その先行的な取り組みとしてＶＡＩＯのＥＭＳ事業の取り組みを紹介したい。

2 ＶＡＩＯのＥＭＳサービス

ＶＡＩＯはソニーのパソコン事業が２０１４年に投資ファンドの日本産業パートナーズに譲渡されることに伴い設立された企業である。ソニー時代からのものづくりノウハウを活かして自社パソコン製造のみならず、他社のものづくりを支援するＥＭＳ事業を展開している。

同社のＥＭＳ事業においては、企画―設計―試作―調達―実装―製造―品質保証―出荷―マーケティング―営業―アフターサービスまで、ものづくり企業のプロセスをトータル

図表47●VAIOのものづくりプラットフォーム（EMS事業）

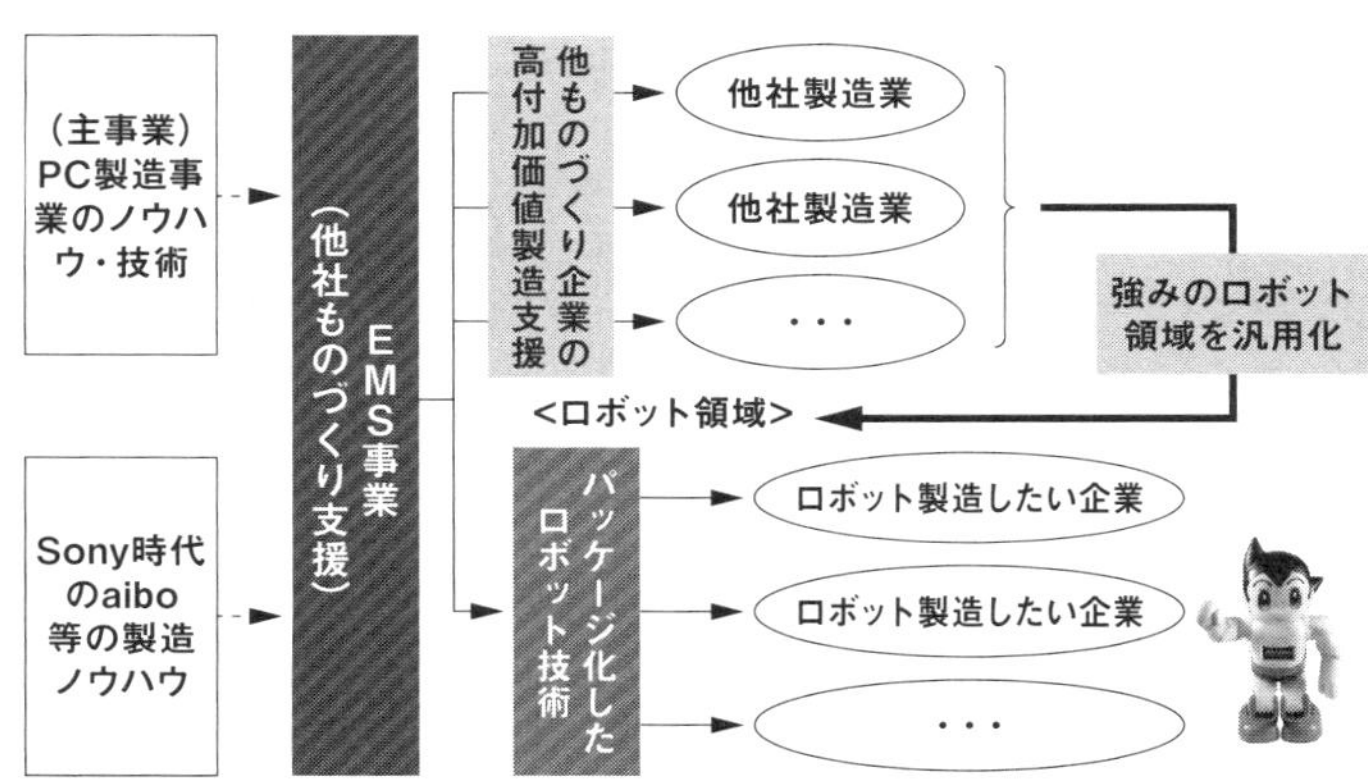

写真はVAIOが支援した講談社のコミュニケーション・ロボット ATOM。©TEZUKA PRO／KODANSHA

で支援できることが特徴となっている。

そのうえで、同社が強みを持つロボット製造支援については注力領域として、ロボットに必要なハードウェアやＡＩを含むソフトウェアなどの技術をパッケージ化して、ロボット展開を行いたい企業のＥＭＳ支援を強化しているのだ。

ソニー時代のアイボの製造ノウハウを活かした展開として、トヨタ自動車や富士ソフト、バンダイなどからロボットの製造を受託している。ＥＭＳ事業を通じてものづくり企業に広く支援を行うとともに、特に強みが活かせ、かつ顧客ニーズも存在するロボット領域においては標準化を行い尖った技術を提供するといった、「広さ」と「深さ」の両輪を回していることが、ＶＡＩＯのものづくりプラットフォーム展開において興味深い点である。

3 他社ものづくり製造支援へ転換するためのポイント

ＶＡＩＯが自社製品製造から製造能力を活かした「ものづくりプラットフォーム」へ展開していくうえでは以下のような論点が存在した。これは自社ものづくりを行っている製造業が、他社への提供を図る際に共通して課題となるポイントであり、参考となるだろう。

①顧客に対する「見える」提案とすり合わせ

メーカー内の生産組織であれば、社内事業部門同士のやりとりの中で、求める仕様・品質や、生産技術・能力についてお互いに一定程度理解・共通認識があるため、「阿吽の呼吸」ですり合わせが可能であった。しかし、外部の顧客とやりとりをするにあたっては、これらの前提がなく、齟齬がない形で提案・すり合わせを実施する必要がある。

顧客から提供された製品設計などの図面や構想にもとづいて、どのようなラインで、どのような生産性・コストで実現するのか、あるいは設計図面に対するカウンター提案を顧客に「見える」形で提示し、すり合わせをしなければならない。この際、デジタルツイン（CAE、生産シミュレーターなど）の活用を通じて、3Dの見える形で示すことが重要である。今後ものづくりプラットフォーム展開をしていくうえでは、3Dを含めたデジタル技術は、顧客やパートナーとやりとりをするための必須インフラとなるだろう。

②顧客の予算と、提供する品質・サービスレベルの折り合い

この点は技術にこだわり、限界まで生産性・品質を高めてきた日本企業にとってはマインドチェンジが必要となる点である。外部顧客へのサービス提供においては、「予算」を明確に意識する必要があり、技術・品質だけをこだわり抜くことはできない。その観点で、顧客の予算に合わせた「こだわる」部分と、「抜く」部分の振り分けをしなければならないのだ。

技術へのこだわりが強い日本企業の技術者にとっては、「抜く」という判断は難しい。しかし、そこをこだわってしまうと顧客の予算を超えてしまうといった、顧客視点での検討が重要となる。

ＶＡＩＯは顧客との案件遂行の中で、こだわるレベルとかかるコストをデータをもとに紐づけていくことで、予算感にあわせた提案レベルのパターンづくりを行ってきている。

そのためにも、次の論点である技術の標準化は重要となってくる。

③生産技術・オペレーションの徹底的な標準化

自社内の製品ポートフォリオ内のものづくりを行うことに加えて、他社の多様な製品のものづくり支援を行うようになると、生産ラインは顧客要件に合わせて柔軟に構築していく必要がある。そうなると、顧客要件ごとに合わせて一から生産ラインを設計・導入していてはコスト競争力を失ってしまう。

そのため、ＶＡＩＯは生産ラインを要素技術ごとに標準化し、製品特性に応じて最適に要素技術モジュールを組み合わせて効率的にラインを構築する形で、そのあり方を変更したのである。その結果としてＥＭＳ事業の競争力が増すとともに、本業の自社ＰＣ部門の生産ラインとしても効率性・生産性を増大させている。

このように、他社へのものづくり提供を前提にオペレーションを見直し、競争力を得ていくことで、自社本業の製造にも好影響が生まれるのである。

ＶＡＩＯに見る「設計にモノ申す製造組織」の強み

また、ＶＡＩＯがＥＭＳとして構築している強みの背景には、日本の製造業が歴史的に培ってきた特徴が存在する。日本企業の生産技術・生産現場は、従来、生産技術観点・製造観点から設計段階に対してフィードバックを行い、「大部屋活動」「ワイガヤ」などとも呼ばれる組織横断での議論・すり合わせを行うことで、ものづくりの高度化を行ってきた。

欧米のものづくりで一般的なのが、設計側である程度規定し、それに沿ってライン設計・製造を行うという生産技術・生産現場である一方で、日本のものづくり企業は「設計にモノ申す生産技術・製造部門」であると言える。これが、今後日本企業が製造能力を活かしたものづくりプラットフォームを展開するうえで、新興国をはじめとした大手ＥＭＳ専業企業との戦うための方向性となる。

ＥＭＳ企業は新興国拠点の生産コストと膨大な受注量に支えられた価格競争力が圧倒的な強みとなる。価格では勝負ができない中で、勝負の鍵は、徹底的な顧客目線で顧客企業の経営・製品を高度化することに寄り添えるかどうかにある。顧客の依頼にもとづく製造サービスにとどまらず、顧客企業の観点から、事業コンセプト自体や、上流の設計段階からのコンサルティングや逆提案を行い、顧客の高度化に寄与していくことが重要となる。

図表48がＶＡＩＯ　ＥＭＳ事業のアプローチであるが、後工程の生産技術・製造のノウハウ・観点を結集して、顧客の設計段階からコンサルティング・支援を行っている。たとえば、「この製品設計の場合、アフターサービスを行う際に効率が悪くコストが増大す

図表48●VAIO EMS事業の特徴

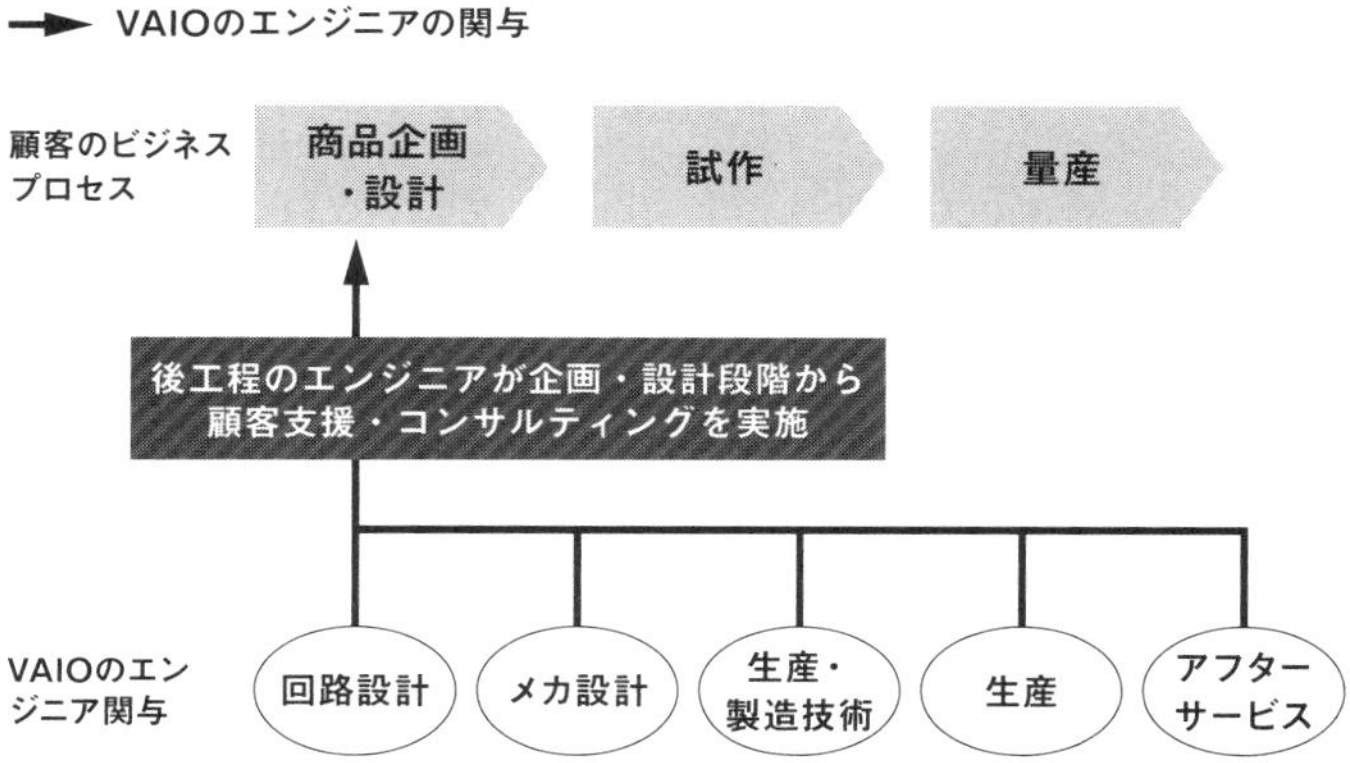

→ VAIOのエンジニアの関与

顧客のビジネスプロセス：商品企画・設計 → 試作 → 量産

後工程のエンジニアが企画・設計段階から顧客支援・コンサルティングを実施

VAIOのエンジニア関与：回路設計／メカ設計／生産・製造技術／生産／アフターサービス

る」「製品が量産段階になった際に、この部材では加工コストが高くなってしまうので、こちらで代替するのはどうか」といった提案を顧客側に行っており、これらの姿勢が高く評価され競争力となっているのだ。

4 中堅企業にも成功事例はある

製造能力を活かしたものづくりプラットフォーム展開としては、ＶＡＩＯの母体となっているソニーが「ものづくりサービス」として自社製造能力・技術を活かして、他社製造業のデザイン提案を含む開発・設計・量産までを支援している。また、ＮＥＣが試作支援から、開発受託（ＯＤＭ）、製造受託（ＥＭＳ）まで幅広いサービスを展開している。

こうした製造能力を活かしたものづくりプラットフォーム展開ができる企業については、潤沢な拠点と人材を持つ大企業のイメージがあるかもしれない。しかし、従業員１００名規模の中小企業のなかにも、自社の強み・製造能力を活かしたものづくりプラットフォームを展開している企業が存在する。

ヒルトップ（HILLTOP）は、京都府宇治市本社のアルミニウム加工メーカーである。創業時は特定顧客への依存度が高い下請け企業であり、常に発注元のコストダウン要求に苦しんでいた。そこで同社は大量生産品の取り扱いをやめ、多品種単品製造に特化。それを、24時間無人加工を可能とする自動化設備への投資や、ヒルトップ生産システムと呼ばれるデジタル技術展開・ＤＸ化を通じて、業態を他社製造業に対する短納期・多品種単品

図表49●ヒルトップによるものづくりプラットフォームへの転換

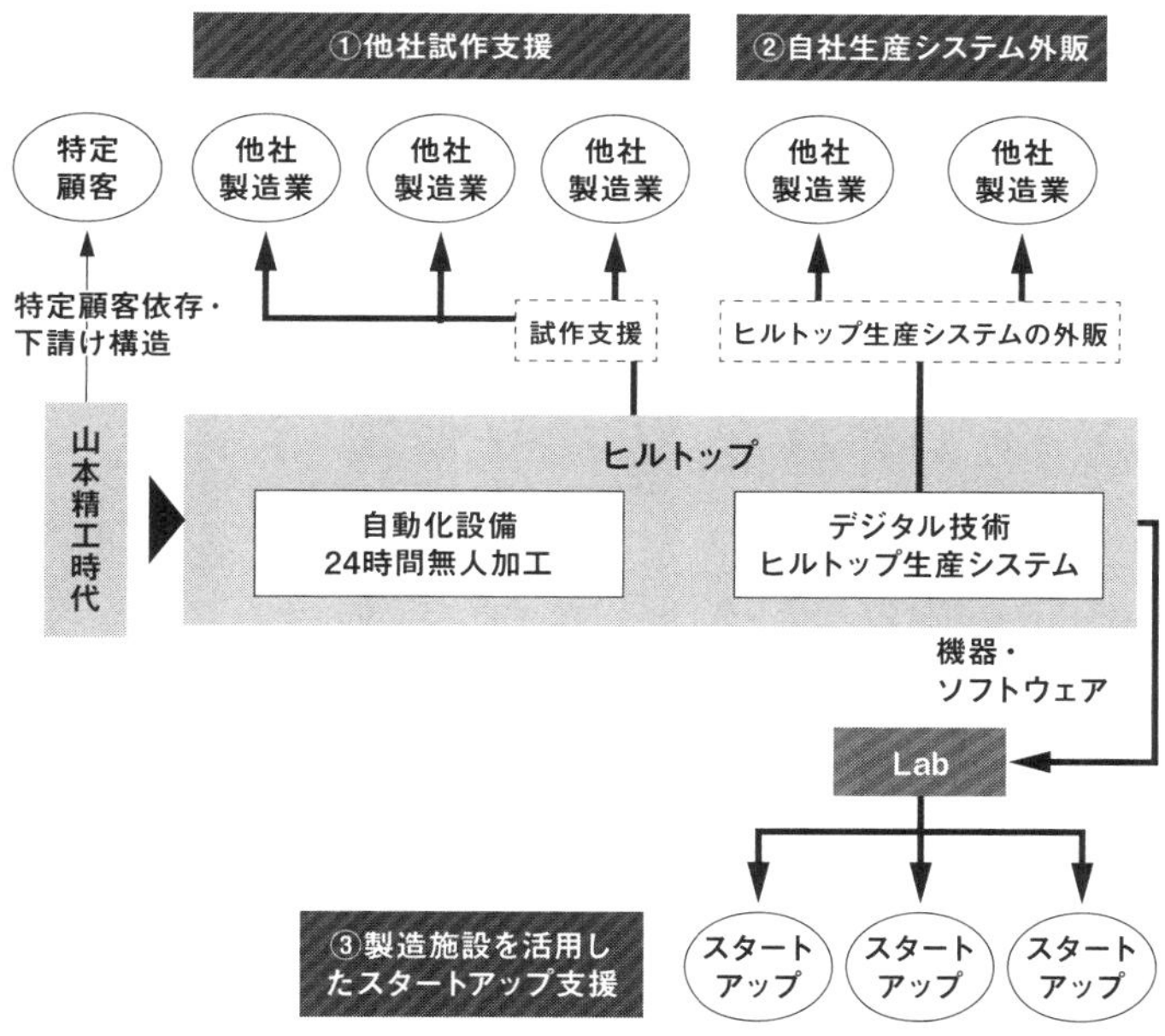

試作支援や、装置開発支援へと大きく転換し、高収益を実現している。

さらにはヒルトップ生産システムの仕組みを他社へ外販していくとともに、ゼロベースのデザインからものづくりができるラボ（Lab）を通じてスタートアップの製造支援を行っている。自社生産能力の強みを尖らせ、それを起点に他社製造業を支えるものづくりプラットフォーム展開を積極的に行っている好例である。

5 「インキュベーション型ものづくりプラットフォーム」の登場

新たなイノベーションを取り入れる仕組み

前述のヒルトップにおいて、自社製造能力を活かしたスタートアップ支援・連携を行っているが、この方向性は日本の製造業全体において重要なアプローチとなり得る。ものづくり企業の製造能力を軸にスタートアップを支援・インキュベーションを行うことで連携し、自社のイノベーション創出を共同で行っていく動きである。これを「インキュベーション型ものづくりプラットフォーム」と呼びたい。

現在日本の製造業は、激しい環境変化の中でそれを打開する新たなイノベーションの種を生み出すことに苦慮している。たとえば、自動車部品メーカーなどでは自社の製造領域が固定化する中で特定の製品の技術・ノウハウを磨き上げてきているが、ＥＶシフトなど大きなパラダイムシフトが起こった際に、自社が築き上げてきた技術・ノウハウが行き場を失ってしまうリスクがある。

日本企業内部の状況としても、大企業の組織構造や事業判断基準の中で、新たな事業創出やそれに向けたリソース投下がしづらい状況になっている。その中で、既存のリソース・アセットを活かして、新たなイノベーションを取り入れていく方策を探る必要があるのだ。

一方で、スタートアップ企業の成長のエコシステム（生態系）において、アクセラレーションプログラムや、ベンチャーキャピタル（ＶＣ）などのビジネス検討や資金調達の観点では整いつつあるものの、ものづくりノウハウ・製造能力を持っている連携企業はミッシングピースとなり、欠けてしまっているのが現状である。スタートアップとしては以下のような課題を持っており、これらを既存の製造業企業が連携することで補完できる。

・試作段階から抜け出せておらず量産時にコスト効率が悪い設計（コスト高の先端技術を活用など）となっている
・メンテナンス・アフターサービスを考慮した設計になっていない
・量産化・リリースに向けたプロジェクト・スケジュール管理ができていない
・実導入時に市場要求や安全基準・規制に耐えられる品質になっていない
・量産を実行できる製造キャパシティ・技術がない
・営業・メンテナンスサービスリソースが十分に確保できない

日本企業としては、スタートアップのイノベーションを、自社の製造能力・技術を活用して支援・連携することで、自社に新たな強み・ノウハウ・事業としての選択肢を付加していくことができる。具体的には量産設計支援、営業・サービスの自社リソース活用（クロスセル）、量産ライン設計、利用課金型も含めたライン提供などを行うことで有望スタートアップの成長を支援するのである。

フォックスコンやフレックスをはじめ、多くのＥＭＳ企業が先端スタートアップと連携し、彼らの製造のみならず事業展開を支援し、有望な企業については出資・買収などを行う、といった動きを見せている。日本企業として、ものづくり現場に蓄積されている技術力・生産能力を活かした、新たな日本製造業型のオープンイノベーション、「インキュベーション型ものづくりプラットフォーム」の展開拡大が期待される。

大企業にはとどまらない

「インキュベーション型ものづくりプラットフォーム」としては、ほかにもシャープがハードウェアアクセラレーション拠点と連携した展開を行っている。ものづくりスタートアップが施設の工作機械などを活用できるディーエムエムドットメイクアキバ（DMM.Make AKIBA）と連携し、同拠点で生まれた有望スタートアップに対して、量産アクセラレーションプログラムの提供や、自社製造拠点を通じた量産支援を行っている。

ここで構築したスタートアップのハードウェア製造を継続的にシャープが担当し、事業展開を共同で行うなど、シャープとして新たなイノベーションの取り込みにつながっている。

これらの動きは大企業のみならず中堅企業も含めて拡がっている。浜野製作所は墨田区の金属加工企業であり、特定顧客への量産対応から、多品種少量の試作支援や顧客の装置開発などへ事業を大きく転換した企業である。工作機械・ソフトウェアが設置してあり、設計―加工―組立までを一貫で実施できるものづくりインキュベーション拠点「ガレージ

図表50●浜野製作所のガレージスミダ

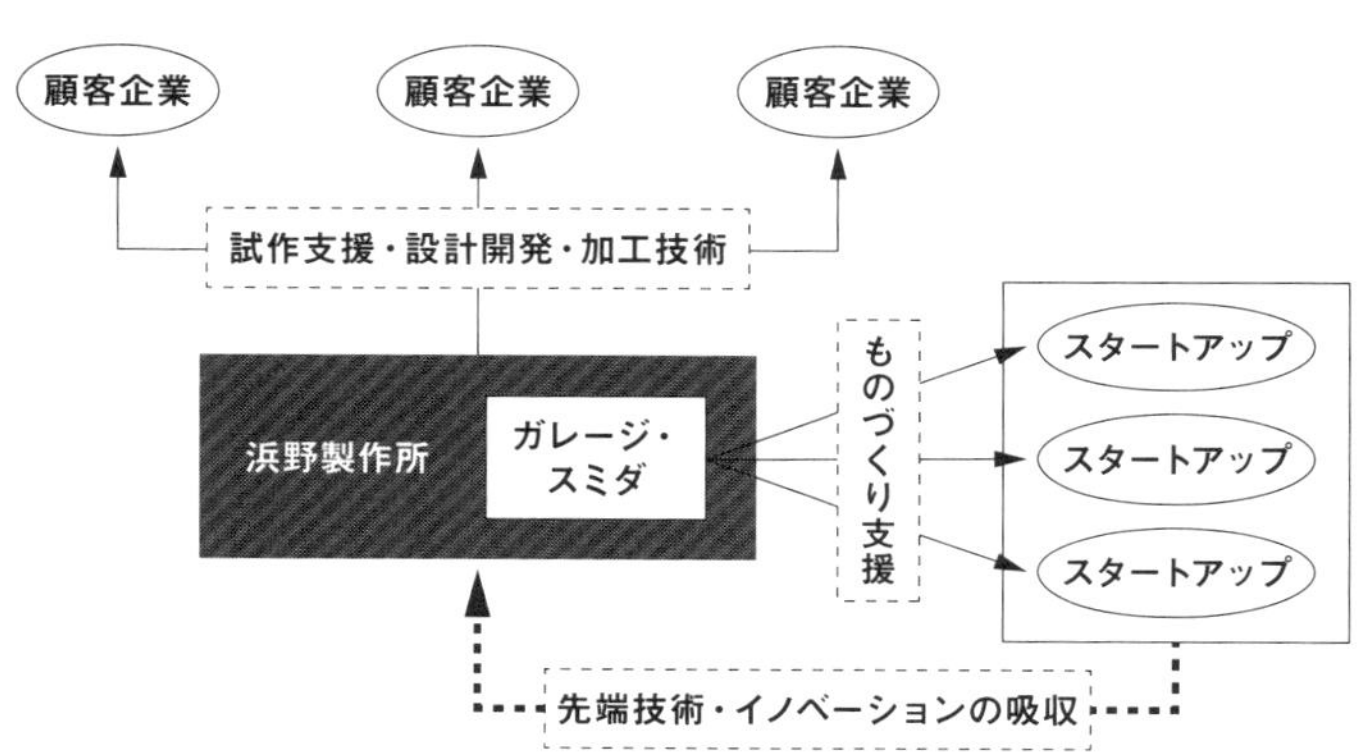

スミダ（Garage Sumida）」を展開しており、大企業、研究機関とともにスタートアップを支援している。

グローバルに展開するパーソナルモビリティのＷＩＬＬや、コミュニケーションロボットＯｒｉＨｉｍｅを展開するオリイ研究所、自動野菜収穫ロボットのＩｎａｈｏ、ロボットのアスラテックなどの多くのスタートアップが浜野製作所のガレージスミダを通じて成長している。ガレージスミダ自体がビジネスとして収益源になっているとともに、自社本業の成長にも寄与しているのである。

これらスタートアップの先端ものづくりを支援する中で自社が対応できる技術領域が拡大し、新規事業創出や、既存事業の高度化につながっているのだ。今後、大企業・中小企業に限らず、日本企業がものづくり企業としての製造能力やノウハウを活かしたスタートアップとの連携、イノベーション創出が進むことが期待される。

第9章

アクション①
新規ソリューションを生み出す企業・組織になる

1 ものづくり企業からの転換にあたっての課題

ここまで、ものづくりプラットフォーム展開のパターンと事例について触れてきたが、従来の自社製品のものづくりから転換していくことは必ずしも容易ではなく、苦労している企業も多い。従来のものづくり企業の視点やスピード感から脱却し、デジタル・ＩＴ企業の動き・アプローチを取り入れていく必要がある。

ものづくりプラットフォーム展開にあたっては、以下に示すような課題が存在する。第４～８章においてすでに解説したポイントもあるが、まとめとしてそれぞれの論点について触れていきたい。

（1）【組織・企業】いかに新規ソリューションを生み出す企業・組織になるか？

論点①：トップのコミットメント・経営戦略としてのＤＸ推進

論点②：トップも含めたクロスファンクショナルな検討組織

論点③：事業評価ＫＰＩ

図表51●ものづくりプラットフォーム展開における論点とポイント

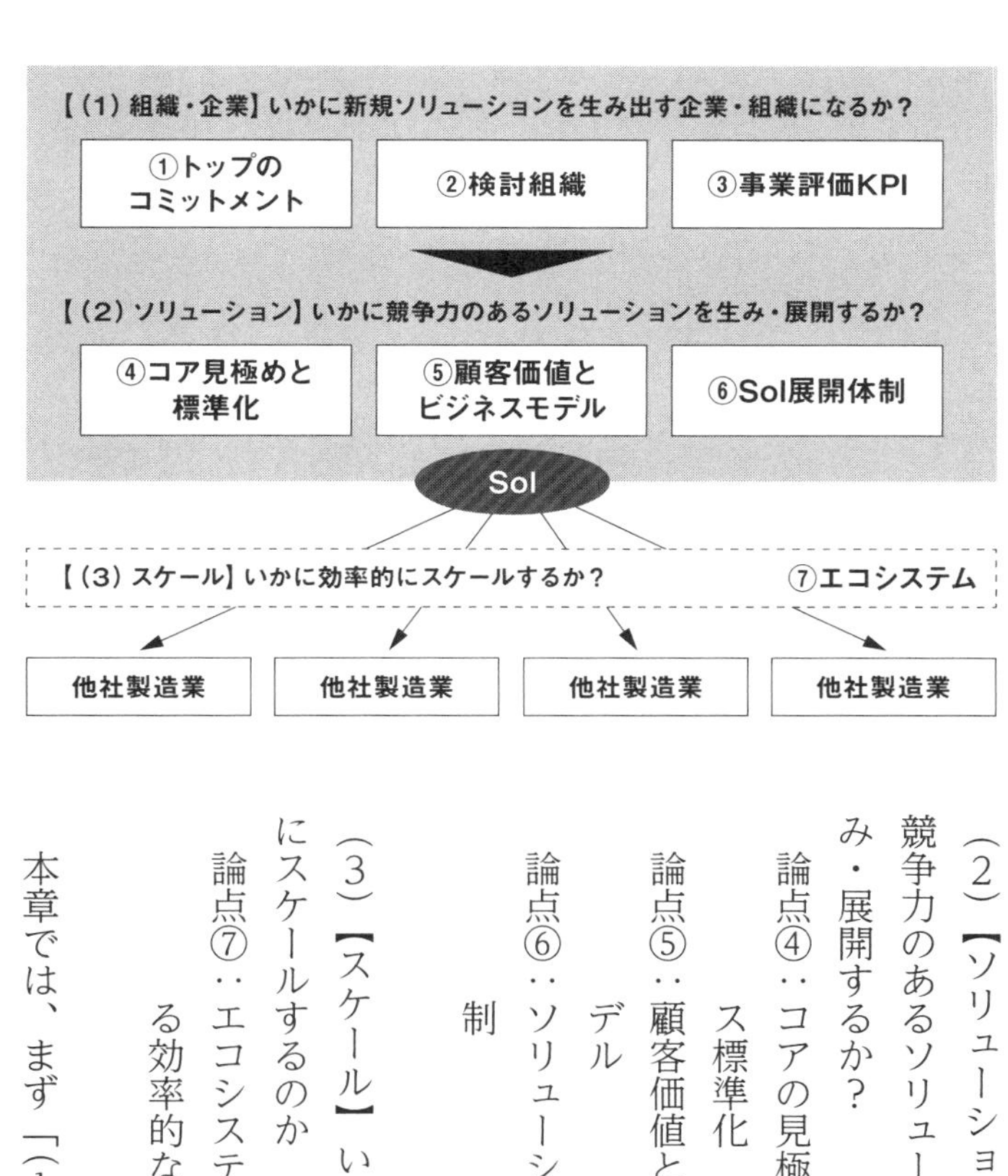

（2）【ソリューション】いかに競争力のあるソリューションを生み・展開するか？

論点④：コアの見極めとプロセス標準化

論点⑤：顧客価値とビジネスモデル

論点⑥：ソリューション展開体制

（3）【スケール】いかに効率的にスケールするのか

論点⑦：エコシステム活用による効率的なスケール

本章では、まず「（1）【組織・

図表52● (1) いかに新規ソリューションを生み出す企業・組織になるか

企業】いかに新規ソリューションを生み出す組織とするか」について見ていくこととしたい。

組織の縦割り化や、従来のハードウェア製造・販売モデルによった事業評価基準などにより、新たなソリューションが生み出しづらい構造となっている。これらの論点への対応により、いかにソリューションを生み出していく企業・組織になるかについて触れたい。

ここでは①トップのコミットメント、②検討組織、③事業評価KPIの3点について紹介する。

2 トップのコミットメント・経営戦略としてのDX推進（論点①）

トップの強い危機意識とコミットメントが必須

経営レベルでものづくりプラットフォームを推進していくうえで、最も重要なのが紛れもなくトップの強いコミットメントと危機意識である。これは本書にて取り上げた先行企業に共通の特徴である。

先行企業においては経営者による全社としての危機意識や、新たな事業価値を作っていくという強いビジョン・思いがものづくりプラットフォームを立ち上げ、拡大する上での推進力となっている。

デジタルの取り組みについて、ＩｏＴなどを通じた見える化や、オペレーションの単純なデジタルへの置き換えなど、従来の延長線上の範囲でしか捉えていない経営者が多い。しかし、競合や新規参入者は現状の積み上げでは見ておらず、大きく構造変化を図る非連続の展開を図ってきている。アマゾンの登場により経営が軒並み苦しくなり破綻していっ

図表53●主なものづくりプラットフォーム企業のトップのコミットメント

企業	トップのコミットメント概要
トヨタ (FCV外販)	■豊田章男社長による「100年に一度の変革期」「自動車をつくる会社からのフルモデルチェンジ」等の新規領域への強いコミットメント。
デンソー (インダストリアルソリューション事業部)	■社長をはじめとしたトップマネジメント層の「非自動車事業強化」のコミットメント。リーン・オートメーション技術の開発加速を図り、本社内に新たな事業所を設立。自社グループ内での共同開発体制を強化
コニカミノルタ (SIC)	■SICのサプライヤーとともに栄える取り組みに対するトップマネジメント層の理解と、生産技術等各組織の協力
日本特殊陶業 (シェアリングファクトリー)	■社長・会長・役員層の全社をあげた「非内燃機関向けビジネスの創出」に対する思い・コミットメント。数値のみではない事業評価・育成
武蔵精密工業 (Musashi AI)	■トップマネジメントの同社の「未来」を創るための強いコミットメントによるパートナーの探索・合弁会社設立
VAIO	■ソニーからのスピンアウト後に、生き残りをかけ、経営陣主導で自社の強みを活かしたEMS事業創出を実施

た小売店の状況と同じ変化が、まさに製造業で起ころうとしているのだ。

日本の製造業は裾野産業も含め、多くの雇用を生み、日本の産業や従業員の生活や未来を支えてきている。これら日本の産業全体や、従業員、従業員の家族を守り抜いていくためにも、このデジタル化を契機に「何が何でも生き残る」といった強い姿勢が経営者に求められる。

3 トップも含めたクロスファンクションでの検討・組織体制の重要性（論点②）

ソリューションを検討する組織体制にも留意が必要となる。日本企業における製造領域のデジタル化では縦割りの組織構造や経営者のＩＴに関する感度の低さから、現場（製造、生産技術、ＩＴ部門など）に「ＤＸを検討せよ」と丸投げされるケースが多い。丸投げされた組織は自部門もしくはその周辺の範囲・観点で検討を進めることとなり、部門を超えた全社としての取り組みが生まれない構造となっている。

日本企業のＤＸとして、工場現場の見える化（ＩｏＴ）や、個別組織の定型業務の自動化（ＲＰＡ）などの個別最適的な取り組みに終わってしまうケースが多いのは、このような理由によるところが大きい。

ドイツのロバート・ボッシュなどのＤＸ先端企業では、役員の要件としてＩＴに関するリテラシーを条件に置くケースもあり、バランスよく意思決定がなされている。一方で日本企業においては、経営・現場・ＩＴ部門のそれぞれにギャップが存在しており、それを埋め合わせる仕組みが必要となる。

図表54●本質としてのX（経営戦略）とD（デジタル）既存技術の徹底活用

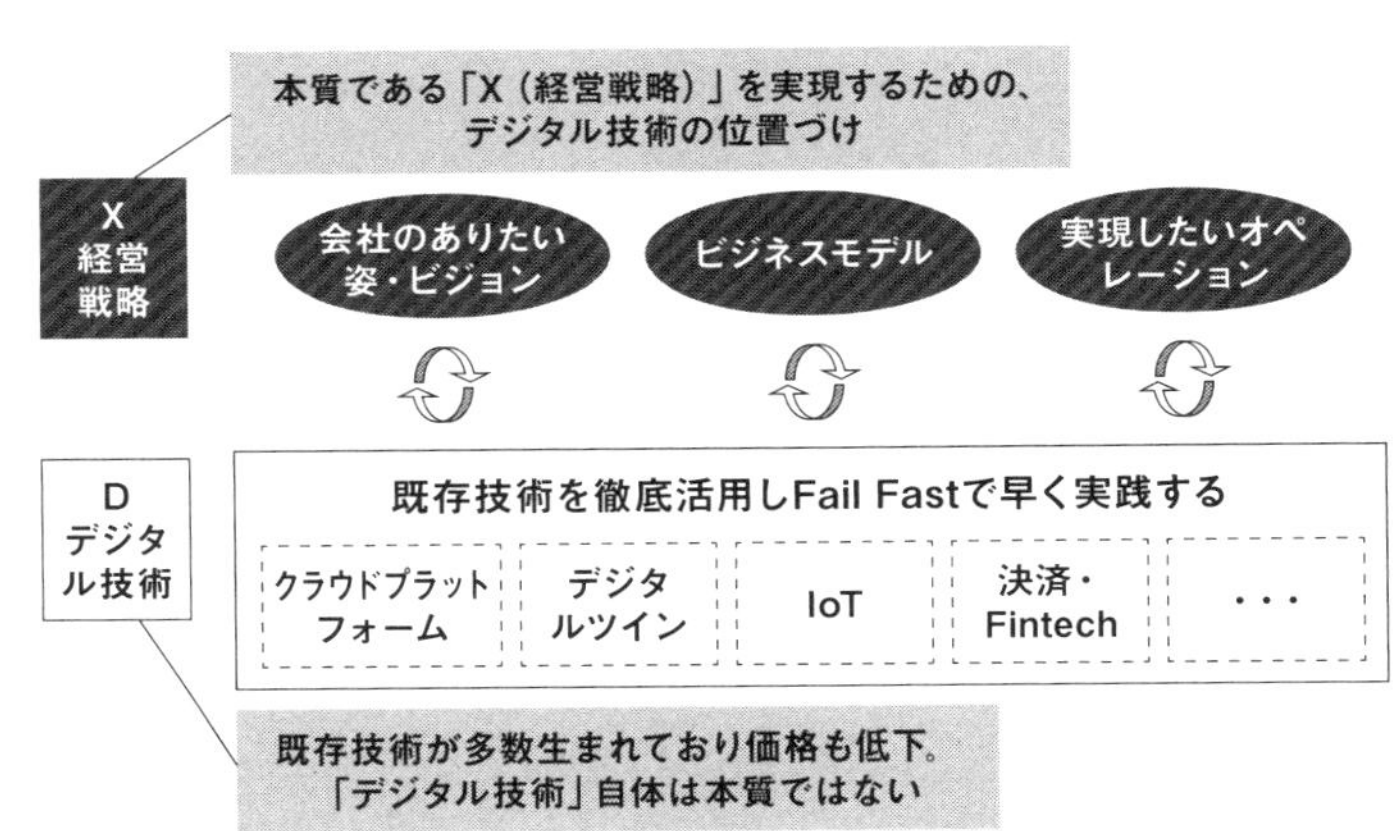

・【経営】経営視点はあるが、ITや現場の観点が欠ける
・【現場】現場視点はあるが、経営やITの観点が欠ける
・【IT部門】IT技術視点はあるが、経営や現場の観点が欠ける

経営者を含むこれらの各主体が一体となったクロスファンクションでの検討が不可欠であり、特に自社のノウハウ・技術を他社製造業に提供するといった意思決定をするうえでは、先述の経営者のコミットメントは欠かせない。

DXはデジタル技術自体が本質ではなく、経営・オペレーション戦略そのものである。ＩＴ部門や、各現場の問題であると捉えてしまうと本質を見誤り、致命的な取り組みの遅れにつながってしまう。

ＤＸはデジタル技術を活用した今後のビジネスモデルのあり方、企業の生き残り方の検討そのものであるといった視点で臨む必要がある。

新たなサービスを生み出すデジタル推進組織のパターン

続いて、具体的なソリューション検討推進体制として、どのようなパターンが出てきているのかについて触れたい。図表55が主な企業におけるデジタルを活用した新規ソリューション検討組織のパターンである。

上記の通り、ＤＸの検討は各組織に丸投げになるケースも多く、従来は図の（1）既存組織を起点としたデジタル化推進が行われるケースが多かった。

製造業では新規事業の検討を既存業務と並行して行うことが通常である。結果的に検討を主管する組織は既存業務に忙殺され、新規デジタルサービス創出にリソース・工数が割かれることなく中途半端に終わるケースが多い。特に新規ビジネス創出で期待されるエース人材は、多くの既存業務を抱えるケースが多く、期待通りに新規ビジネス検討に注力させることができない。

(2) 横断組織を起点としたデジタル化推進

D.専業部署設立	E.専業会社設立・買収	F.オープンイノベーション拠点設立
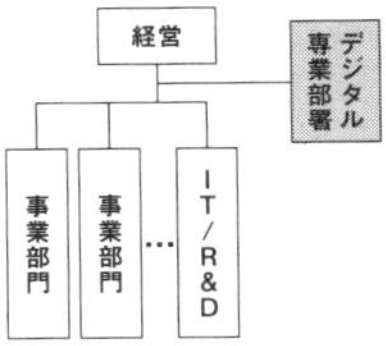 経営／デジタル専業部署／事業部門／事業部門／…／IT/R&D	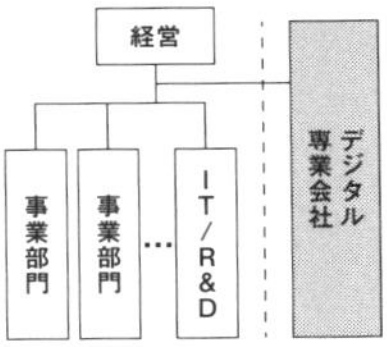 経営／デジタル専業会社／事業部門／事業部門／…／IT/R&D	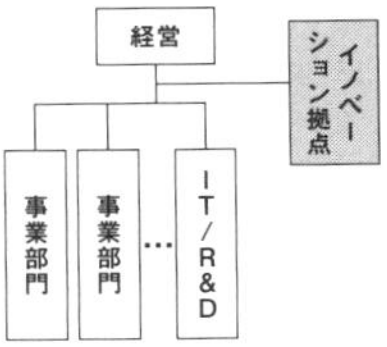 経営／イノベーション拠点／事業部門／事業部門／…／IT/R&D
• 新規部署を設置し、専業としてアイデアの構想・検討を実施	• 別会社を設置し、アイデアの構想・検討を実施	• オープンイノベーション拠点を設置し、顧客とアイデアの構想・検討を実施
• 専業社員の確保や、本体と別の評価体系採用が容易なため、比較的長期目線でのサービス開発が可能	• 本体の給与体系では採用が難しい人材の採用が可能になる	• 顧客からのニーズを直接聞いた上でのサービス創生が可能
• 事業部門の巻き込み・人材確保に係る調整が難しい可能性 • 顧客ニーズと離れたサービス開発となる可能性	• 本体との連携やシナジー創出が難しい可能性 • 設立に時間・リソースがかかる	• 顧客にコミットさせる仕組みがない場合、最終的な事業展開までたどり着けない可能性

図表55●デジタルサービスを生み出す組織のパターン

（3）ハイブリッド型での推進

（1）既存組織を起点としたデジタル化推進

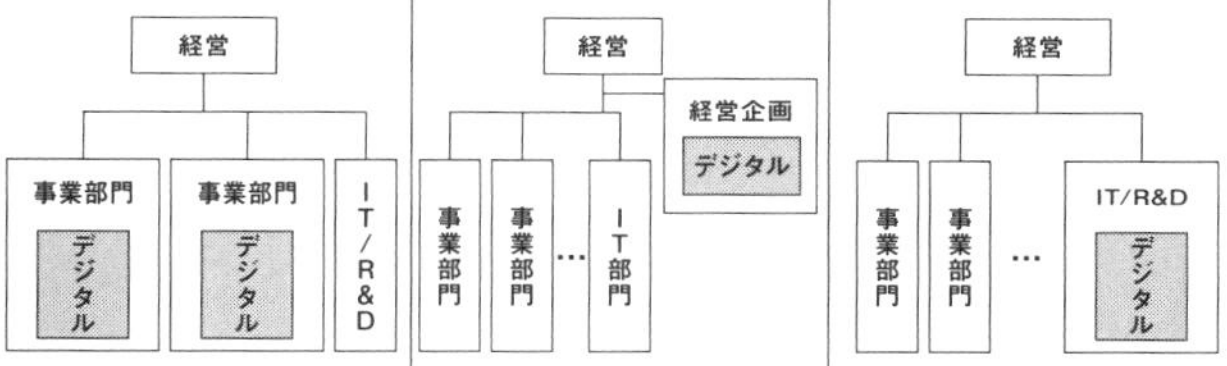

	A.事業部門主導	B.経営企画部門主導	C.R&D・IT部門主導
組織形態	経営 事業部門（デジタル）／事業部門（デジタル）／IT/R&D	経営 経営企画（デジタル） 事業部門／事業部門／…／IT部門	経営 事業部門／事業部門／…／IT/R&D（デジタル）
概要	• 各事業部門がアイデア構想・検討も含め、サービス開発を主導	• 経営企画が各事業部門へリソース支援・管理を行い、サービス開発を促進	• IT・R&D部門が各事業部門へアイデア提供・リソース支援を行い、サービス開発を促進
メリット	• 日常業務で顧客に接しているため、顧客ニーズを反映したサービス開発を行いやすい	• 事業部間の横串を通したサービス開発が行いやすい	• 技術トレンドを踏まえたアイデアの創出を行いやすい
デメリット	• 本業との兼務となりリソースが十分に投下できない可能性 • 既存事業の延長線上や足元課題に沿ったアイデアが多くなってしまう可能性	• KPIを達成するため、すぐに事業化可能なアイデアが多くなる可能性	• 顧客ニーズと離れたサービス開発となる可能性 • 展開の際に事業部門の巻き込みが難しい可能性

また、足元の既存ビジネスを守りたい組織の意向が、結果として新規事業検討側にリソースを取られることを嫌がり、うまく人材の投入が行われないこともしばしばである。さらに、特定の個別組織が検討を行うことにより、その組織の足元の課題に即した局所最適的な取り組みにとどまってしまい、うまくいかない、という状況もよく見られる。

そうした中で生まれてきたのが（2）新規組織を起点としたデジタル化推進である。デジタル化推進横断組織の立ち上げや、オープンイノベーション拠点を起点とした検討、さらには合弁会社を含む別会社の新設がそれにあたる。横断組織の長としてデジタル化の責任・権限を持つ役員であるCDO（Chief Digital Officer）などを置き、全社横断での予算策定や、投資ロードマップ策定、全社レベルでの活用デジタルツールの統一、各組織のデジタル化実行支援などを担う横断組織を設置する動きが起こっている。これらにより全社としてスピード感を持ち、かつ全社視点をもった取り組みの検討が可能となっている。

先行企業ではさらに（1）と（2）のハイブリッド型である（3）の取り組みも進んできている。横断組織による全体最適での取り組みとともに、その取り組みを支える実行部隊としての各組織の連携強化である。

（2）の横断組織の取り組みの中で、全体としての方針策定や全体最適化が図られるようになったうえで、重要となるのが実行部隊となる各組織との協力・連携である。横断組織によるDX展開を行っている先行企業の中には、横断組織の取り組みが、各組織に浸透しない、協力・連携が進まないといった課題もでてきている。

その対策として、横断組織に専業メンバーを設置するとともに、各組織と横断組織の双方所属として、その組織における全社デジタル展開の「伝導師」「協力者」となる存在を置くケースもでてきている。横断組織側で得られたノウハウやスキルを、各組織に対して移管していくことで、「支部」を各組織に埋め込む動きである。これら自社の企業風土や特性に合わせた組織設計が重要となる。

出島組織の設計

先述の通りサービス・ビジネス創出で先行する企業では、専業組織やいわゆる本社とは離れた「出島組織」をつくることで新規事業創出を加速させているケースも多い。その際に課題となるのが組織や個人の評価である。当然ながら新規事業創出についてはすぐに結果がでるとは限らず、売上・収益などで評価がしづらい面がある。この部分を画一的に評価してしまっては、ビジネス創出の取り組みが進む前段階で、組織が評価されずに頓挫することなどになりかねない。

たとえば、コニカミノルタが社長直轄組織として設置しているビジネスイノベーションセンターにおいては、本社とは別の視点で個人・チームを評価するＫＰＩを設定している。売上・利益などの収益ではなく、「事業案の創出数」などを置いているのである。また、意思決定や新規事業創出に特有のトライアンドエラーを迅速化するため、新規事業推進組織において一定規模の投資意思決定ができるようにするなど、権限を付与していることも特徴的である。

本社と同様の基準で判断をしてしまうと、既存事業の規模感やスピード感・リスクテイクの考え方に縛られてしまう。それを防ぐためにも、一定規模のアクションについては独立して意思決定できる仕組みが必要となる。

4 デジタルソリューションをつぶさず育てるKPI事業評価（論点③）

ものづくりプラットフォーム展開を行ううえで、日本製造業の論点となるのがサービス・ソリューションビジネスの構造を正しく理解した事業評価の仕組みである。

サービス型のビジネスを展開しようとすると、従来のハードウエア販売と比較して、単

図表56●フィッシュカーブとJカーブ構造

ハード売りからソリューション型へ展開する上で起こるフィッシュカーブ

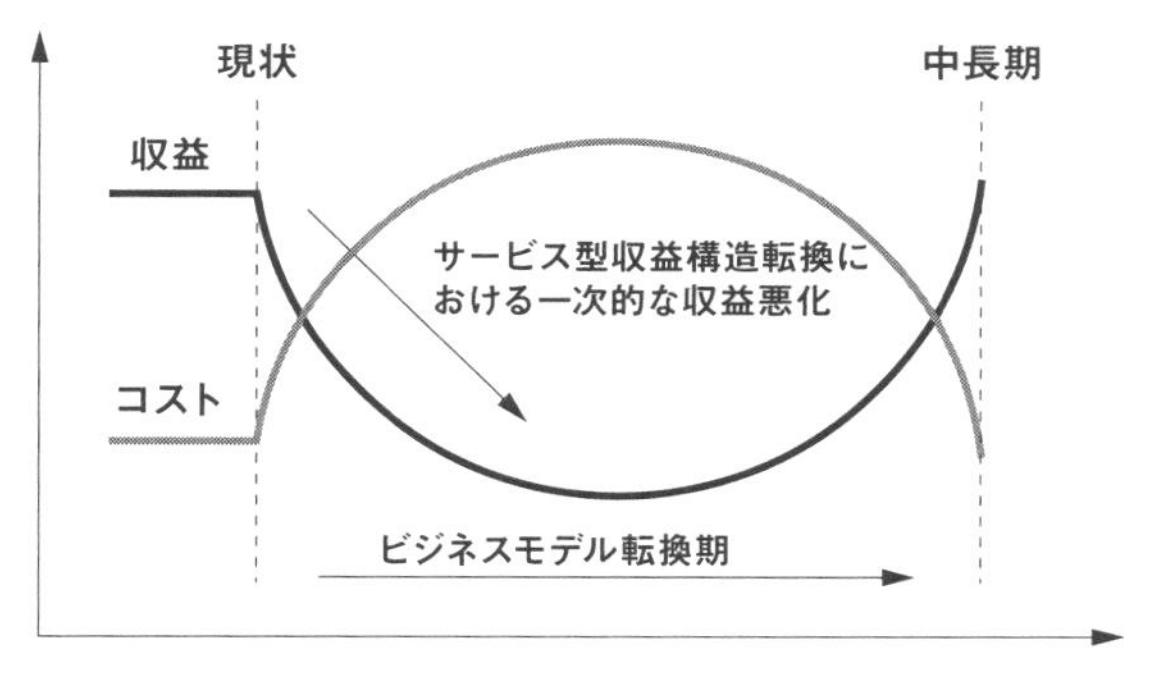

プラットフォーム型ビジネスのJカーブ構造

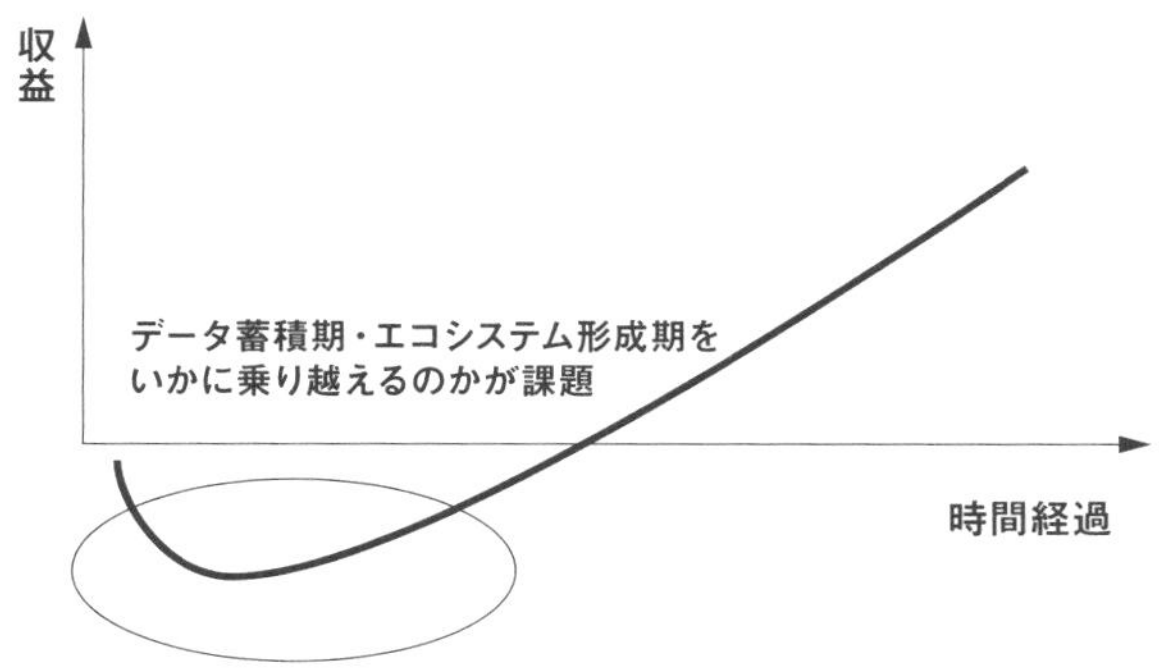

価は小さくなるほか、事業開始当初は投資が大きくなり、コストがかさむことから、収益構造が図表56のようなフィッシュカーブを描くことになる。一方、プラットフォームビジネスでは、データ・ユーザー蓄積が進んだ後に事業収益化が進むJカーブと呼ばれるモデルとなる。

多くの製造業では、こうした収益構造モデルに沿った事業評価の仕組みが存在せず、事業アイデア創出・評価の段階でのハードルが存在するため、結局、今までのハード売りにビジネスが回帰してしまうケースが少なくない。製造業の既存事業の規模の観点では「その事業は数百億、少なくとも直近で数十億になるのか」といった目線で評価してしまいがちである。これらの観点をデジタルサービスの観点で捉えなおす必要がある。

新規事業を段階的に育てるステージゲート方式

これらの課題に対して、先行企業ではステージゲート方式を活用して事業アイデアを段階的に育てる仕組み・意識が定着している。たとえば、あるものづくりプラットフォーム企業では、新規事業をアイデア創出から事業化3年目までを5つのステージに分け、それぞれのステージごとに目標を設定している。

あるいは、事業アイデアのＫＰＩとして、初期に顧客ニーズを重点的に評価し、ステー

図表57●ステージゲートによる事業評価

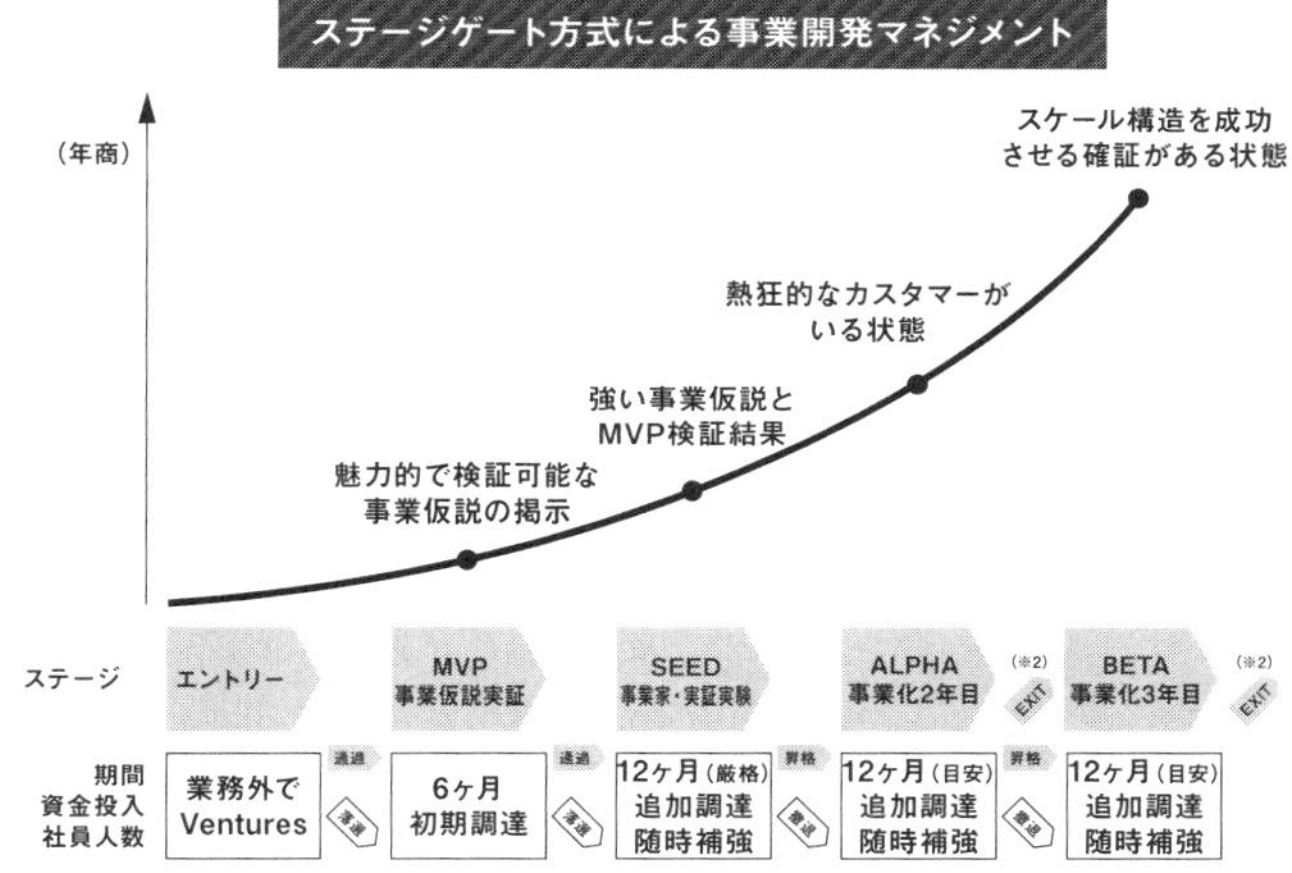

出所：https://recruit-holdings.co.jp/news_data/release/2016/1003_16966.html

ジが進むにつれて事業性・実現可能性の比重を重くしていく評価体系の整備を行っている。アイデア段階から潰さず、ステージごとのポイントでスクリーニングをしていくことで、事業を生み出す仕組みができている。

必要な投資をやり切るデジタル投資ロードマップの必要性

また日本企業では、過度なＲＯＩ主義により、売上増やコスト削減など、すぐに成果の刈り取りや回収が難しい投資は避けられ、クイックヒットとなる投資が中心となってしまう傾向にある。その結果として、直接的に売上やコスト削減につながらないものの、ものづくりプラットフォーム展開において重要となるノウハウの標準化やデータ基盤整備などの投資が遅れてしまった背景がある。

デジタル時代においては、自社がビジネスモデルも含めてどのような価値提供をすべきかを再定義したうえで、必要な投資をやり抜く姿勢が求められる。そのためにも全社としてのデジタル投資のロードマップ策定が必要となる。

2030年といった長期を見据えて、競合・市場がどのように変化するかを予測し、それに対して自社はどのような戦略をとる必要があるのかを経営陣・役員で議論を重ねる必要がある。その共通見解をもったうえで、その実現のためにどのようなデジタル投資が必要かを短期・中期・長期で洗い出していくのである。

これら長期から逆算したデジタル投資ロードマップ策定を行い、ものづくりプラットフォーム展開を行うことの目的を明確にし、そのためにどのような投資が必要なのかを導き出し、腹落ち感を持って進めることが重要である。

第10章

アクション②
競争力のあるソリューションを生み・展開する

図表58●(2)いかに競争力のあるソリューションを生み・展開するか

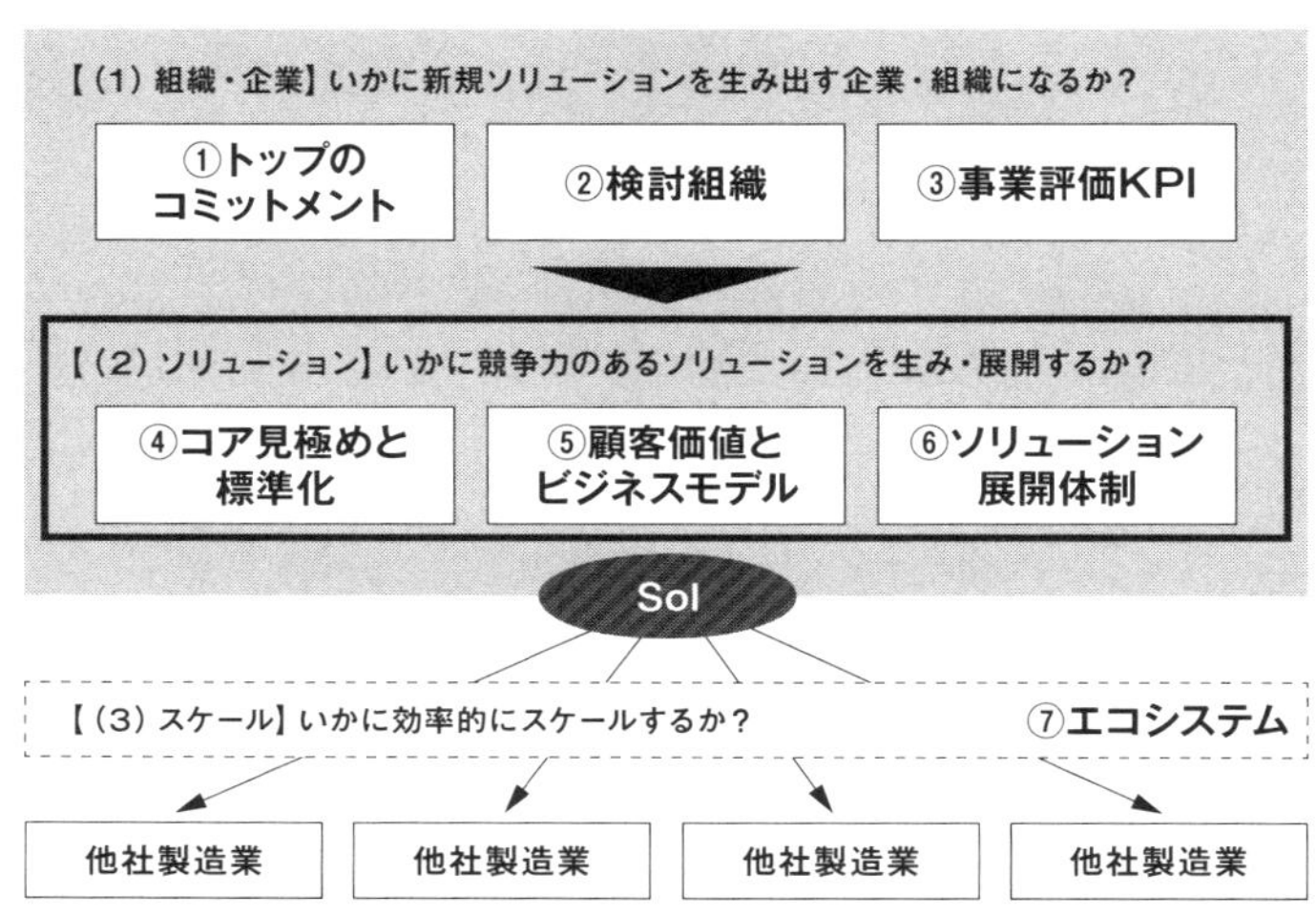

続いて本章ではいかに競争力のあるソリューションを生んでいくのかについて触れたい。ものづくりプラットフォーム展開の「中身」の部分であり、最も重要なポイントとなる。

ここでは、④コアの見極めとプロセス標準化、⑤顧客価値とビジネスモデル、⑥ソリューション展開体制の3点について紹介する。

1 コアの見極めとプロセス標準化（論点④）

ものづくりプラットフォームとしてのソリューションを検討していくにあたり、土台となるのがコア・非コアの見極めと自社プロセス標準化である。自社の技術・オペレーションのうち、何が売り物になるのか、何が提供価値になるのかを分析しなければならない。また、それらを外部に展開していくうえでは、自社の熟練技術者のみがわかる暗黙知となっていては、外販のために顧客製造業に伝えることはできない。そのため、誰もが見えて、活用できる形式知へと徹底した標準化を行わなければならない。

何が自社のコア、非コアなのかの振り分けを実施する

日本の製造業がものづくりプラットフォームとして、「誰に対して」「どのような価値」を提供する企業なのかを検討するうえでは、自社の技術・ノウハウ・オペレーションの「何がコアであり、何が非コアなのか」を客観的に分析する必要がある。すでに何度も述べているとおり、日本企業の多くはそうした要素分解ができていない。

製造業企業は、これまでいかに「製品」を通じて顧客に価値を提供するかを突き詰めて

競争力を得てきた。しかし、その過程で生まれてきた製品の使い方に関する知見や、生産技術ノウハウ、顧客・ケイレツなどのサプライチェーンのネットワークなどが、デジタル化の中で新たな商材・価値提供のコアになる可能性を有している。これらの競争力・価値を客観的に見定めることが重要となる。

徹底した標準化で外部に売れるノウハウへ

また、繰り返しものづくりプラットフォームの各事例でも述べてきたように外部企業に対して展開する上で「標準化」は重要な論点となる。日本とは異なり、欧米・中国企業はデジタルを活用して、仕組みとして「誰でも回せる」オペレーションを地道に構築してきた。

とある中国の自動車メーカーは、デジタル投資に関して「人間は必ずミスをするもの」「暗黙知の継承には漏れが生じる」「仕組み化して誰でもできる状態にしなければならない」と語っていた。これらの取り組みの結果として、標準化が進み、技術やノウハウを活かした他社への外販・ソリューションビジネスにもつながっている。

日本はトヨタ生産方式をはじめとした「仕組み化」を得意としてきた。今後、外国人労働者や若手が中心になるなど、これまで前提となっていた高度な熟練工・暗黙知が持続可能ではないという新たな前提のもと、いま一度デジタル時代における仕組み化のあり方について検討を行う必要がある。

ノウハウをデジタルに転写・標準化し、現場が調整を補完

属人的・暗黙知的な「現場」力は今までの日本の強みであったが、デジタル時代においてはそれを標準化して自社内で効率的に展開できないことや、ノウハウを基にした他社へソリューション提供するモデルへと発展させられないことなどがあり、かえって弱みとなってしまっていた。特に、コロナ禍でリモートや柔軟なオペレーションに苦慮した企業が多いなど、今まで後回しにしてきたデジタル投資の課題が浮き彫りとなった部分が大きい。

そこで、企業オペレーションは、第2章でも述べたようにデジタル上での設計・構想と検証のシミュレーションサイクルを回し、現場がチューニング・補完する形に転換していく必要がある。直接的な現場負荷を最小化することは、ポストコロナ時代のオペレーションに必須であり、デジタルツインをはじめとしたデジタル技術がそれを支える土台となる。これを行うことにより、標準ノウハウをデジタルにのせて効率的に他社外販を行うことが可能となってくるのだ。

図表59●インダストリー4.0時代におけるオペレーションノウハウのあり方

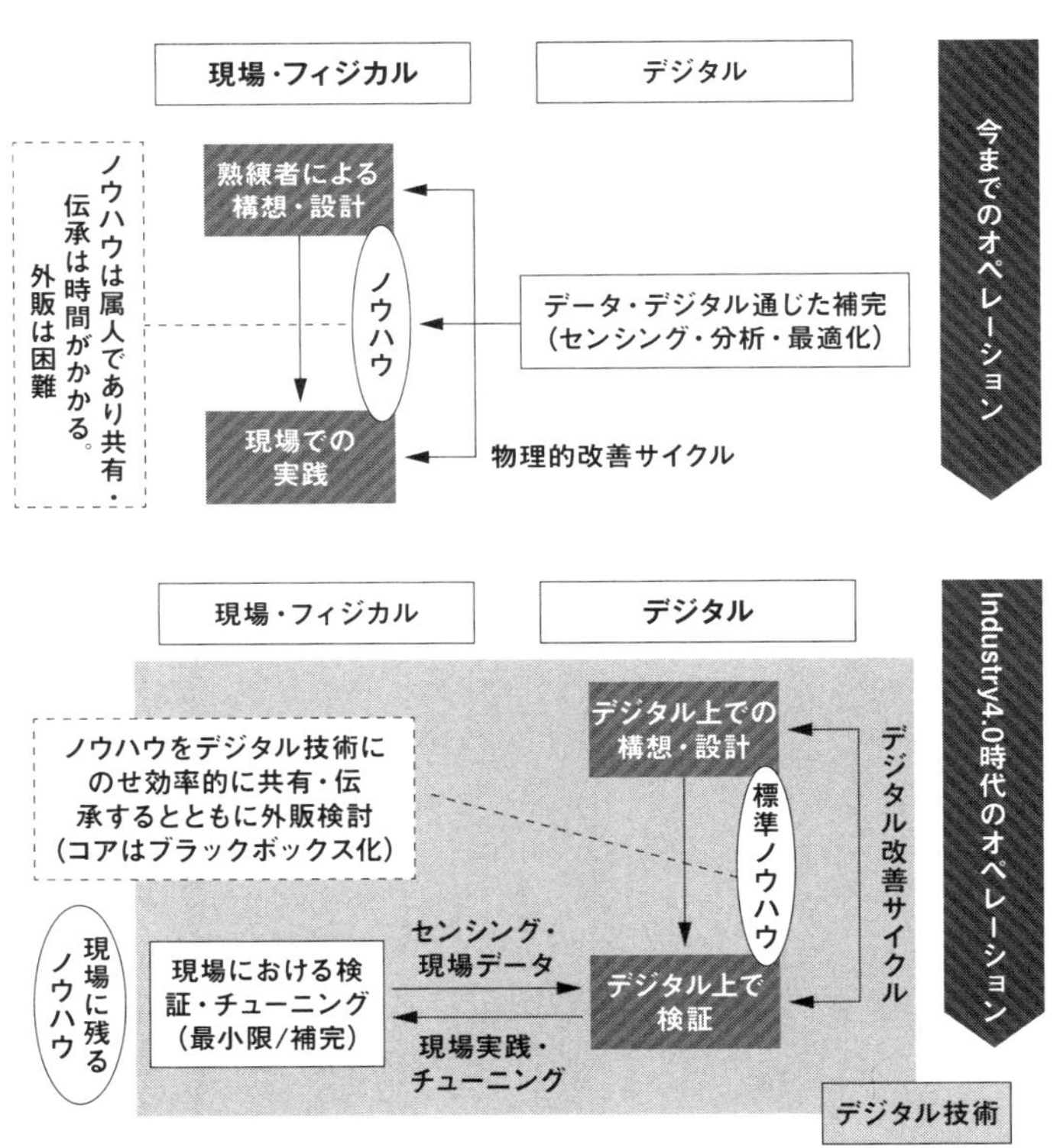

既存技術の徹底活用による小さく早い展開

ビジネスモデルとスキームが定まっていれば、そのためのデジタル技術・ツールは数多く生まれてきており、また価格も急速に下がってきている。これらを徹底的に活用していくことが重要である。

日本の製造業のデジタルを活用したソリューション検討においては自前主義が強く、自社が中心となってシステムを開発・検討する前提で議論されるケースが多い。その結果、先行投資判断額が大きくなり、事業推進に至らず、至ってもシステム開発に時間を要し、スピードが担保されないことも多い。

徹底的に既存のシステムが有する機能を活用し、早期のデジタルサービス・ソリューション立ち上げを行うとともに、そこでの試行錯誤を通じて方向性を決めていくというスタンスが求められる。

先端企業の事例を見ると、実は革新的なイノベーションや独自の新たなコンセプトを打ち出しているわけではない。既存の技術を常に学び、取り入れて、オペレーション全体を一つひとつ効率化・高度化し、積み上げている。

ハイアールのマスカスタマイゼーションも、個別のニーズに基づく生産実現のために徹底的に設計をモジュール化し、製造工程を標準化してきた延長線上にある。前述のデジタルケイレツとして紹介したBMWの製造プラットフォームも、アジュールを全面的に活用している。VWのインダストリアル・クラウドも、AWSとシーメンスのマインドスフィアがコアとなる基盤として既存技術の徹底活用を行っている。

デジタル技術を提供する企業は多く存在し、コストも下がってきている。既存機能の徹底活用を通じた小さく・早い開発と、スピード感を持ったトライアンドエラーやピボットを行うことが重要である。

2 顧客価値とビジネスモデル（論点⑤）

顧客課題にもとづくコアソリューションの見定め

ものづくりプラットフォームの展開検討において最も重要な点は、当然ながら競争力のあるソリューション、つまり「顧客にとって価値のあるソリューションを創れるのか」ということである。デジタル技術やエコシステム（パートナー群）は複雑な構造となってい

図表60●ものづくりプラットフォーム展開におけるステップ

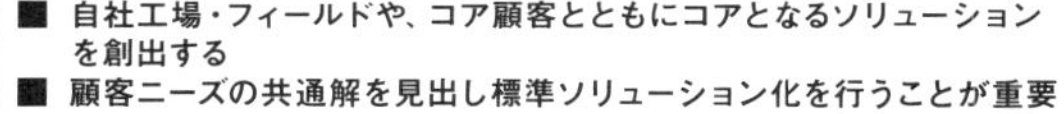

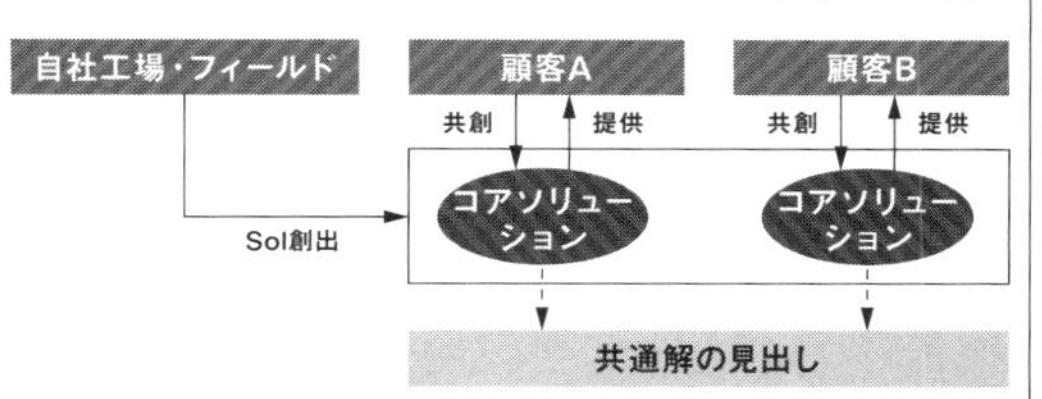

Step①
顧客課題にもとづくコアソリューションの確立

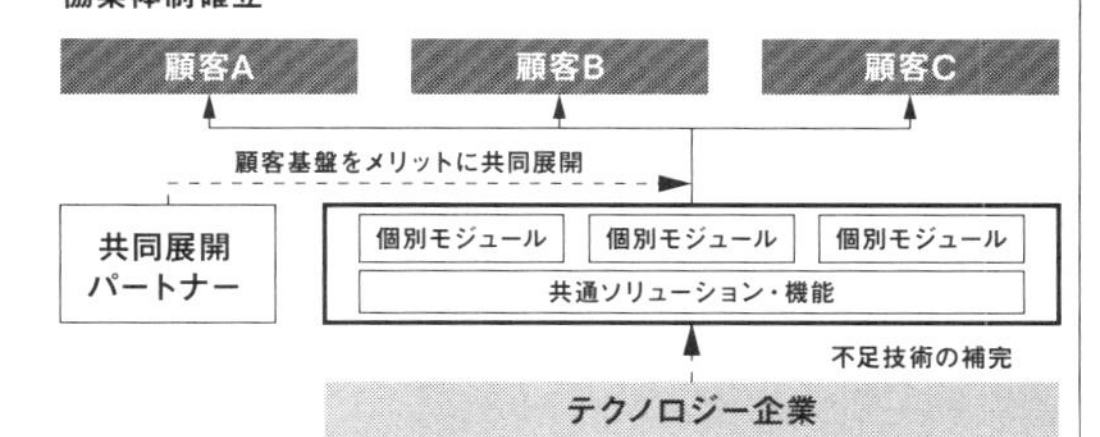

Step②
共通機能と個別モジュールの振り分け・パートナーとの協業体制確立

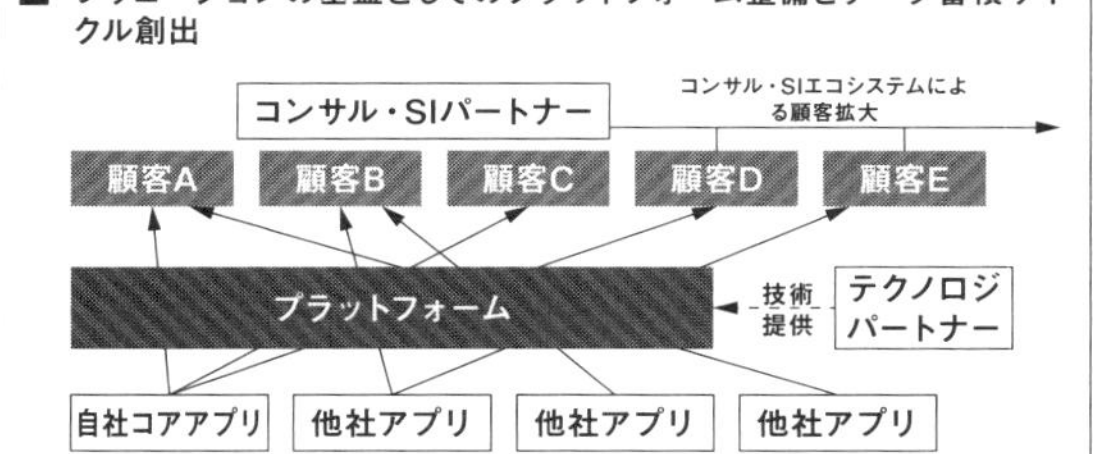

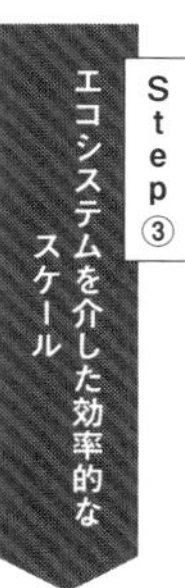

るが、本質は従来のビジネスと変わらず「誰に」「何を」「誰と」提供するのかである。図表60にデジタル時代のソリューション展開検討のステップを示す。

効率的にソリューションの拡大を図るには、ステップ②や③に目がいきがちである。しかし、あくまでコアとなるのはステップ①であり、自社課題やコア顧客の課題・ニーズをスタートラインとして、それを解決するソリューションを生み出すことであることを忘れてはならない。顧客の課題は何か、その課題に対して自社が提供できる価値は何か、という問いが最も重要なのである。

「デザイン思考」と「ラーニング・ファクトリー」

デジタルサービスを生み出すうえで重要となるのが、いままでの技術起点や、製品起点の発想からの脱却である。顧客に対する価値起点さらには「顧客の顧客」に対する価値を徹底的に深掘りし、そこからサービス創出を行っていく形への転換だ。

これら顧客視点でのソリューション創出を効果的に行っているのが、SAPやシーメンスといったITソリューション企業であり、これらの企業の動き方を製造業として学び、取り入れていく必要がある。彼らは顧客共創拠点をグローバルに設置し、デザイン思考を活用し、顧客の課題やニーズにもとづき、その場で高速にプロトタイプを創出している。

共創拠点には各領域の自社ソリューションが展示してあるとともに、デザイン思考の議論を行い、顧客の課題やニーズをもとに仮説構築を行うファシリテーターが常駐している。議論の結果をもとにプログラマーやコーダーがプロトタイプをその場で作り上げ、顧客と一緒に共創していくのである。

デザイン思考とは「人間」にフォーカスを置き、以下の観点（モード）を通じて顧客ニーズ・課題にもとづき新たな視点の解決策を生み出す考え方である。技術視点・製品視点からのマインドチェンジが重要な課題となるだろう。

- Empathize（顧客への共感）：顧客、もしくは顧客の顧客が実際にどのような課題を抱えているのかをヒアリングして理解・共感する
- Define（問題を定義する）：顧客が実現したいものは何か、そのために必要なものは何か、誰のためのどのような製品・サービスが必要かなどの「問い」を定義する
- Ideate（アイデア創出）→Prototyping（プロトタイプ制作）→Test（検証）：これらを短いサイクルで何度も繰り返す

製造業企業がものづくりプラットフォーム展開を行っていくうえでは、顧客となる製造

図表61●SAPエクスペリエンス・センター

出所:SAPジャパン提供

業や、その先に存在する「顧客の顧客」の課題・ニーズは何か、そのために自社が技術・ノウハウを活用して何ができるのかを徹底して深く考え抜く必要がある。日本企業は継続的な技術カイゼンに強みを持ってきたが、これらの目的を「顧客のため」と明確に据えることにより目線をシフトし、新たに強みとして構築していくことが期待される。

世界で進むものづくりイノベーション拠点整備と日本の動向

ものづくり領域における、顧客とのオープンイノベーションのあり方としては「ラーニング・ファクトリー(LF)」と呼ばれる産官学の仕組みがグローバルで整備されている。LFはデモファクトリーを軸としたテストベッド(実証拠点)を意味する。

実際にものづくりが可能であるITシステムや設備

を設置し、実際のプロダクトをＯＪＴで製作する中で、スマート製造のノウハウ習得を図っていく仕組みである。

ＬＦに製造業企業が自社の課題やデータ・ニーズを持ち込み、実証を行うことでものづくり関連のソリューションを共創する。そのため機器メーカーやソフトウェア企業などがＬＦをマーケティング拠点として位置づけて参画し、顧客製造業との接点を持ち、先端の課題・ニーズにもとづいた開発を行うことが重要となっている。

ドイツでは主要工科大学にこのような仕組みが整備されており、たとえばアーヘン工科大学ではＰＴＣをはじめとするソフトウェア企業やハードウェア企業が参画し、実際に電気自動車を製造するラインをもとにした実証型のリカレント教育がなされている。ドイツは産学の垣根が低く、人材交流も活発であることから、周辺の大企業・中小企業がＬＦに参画し、多くのイノベーションが生まれている。たとえばアーヘン工科大学からグローバルに展開しているＥＶスタートアップが数社生まれている。

このＬＦを中心とした産学官の動きがグローバルに広がっており、シンガポールでは科学技術庁（A*Star）と南洋工科大学（NTU）が再製造技術開発センター（Advanced Remanufacturing and Technology Centre：ARTC）を設立した。グローバルの設備・ソフトウェア企業による先端デモラインが設置され、アジアの製造業とともにオープンイノベーションを図るＬＦを提供している。

その他中国・インド・タイなどでもＬＦ設置の動きが進むなかで、日本企業の参画は限定的である。たとえば先述のシンガポールＡＲＴＣにはグローバルで約80社が参画しているが、日本のものづくりソリューション関連企業は5社にとどまっている。

こうした取り組みへのより積極的な参画によって、顧客とのものづくりソリューションを共創していくことが求められる。

顧客（の顧客）のニーズ・課題は何か

このように、ソリューション策定において重要なポイントは、顧客の課題は何かを分析し、その解決のために提供できる価値を見定めることにある。その観点からも以下のような検討を繰り返し、徹底的に分析を行う必要がある。

①「顧客の顧客」も含めたエンドユーザーの課題・ニーズは何か
②そこから逆算して顧客製造業はどのような価値を提供していくべきか
③以上を踏まえた顧客製造業の課題・ニーズは何か
④その課題解決やニーズにこたえるために自社はどのような価値を提供すべきか

図表62●逆算による顧客価値ベースの事業創出

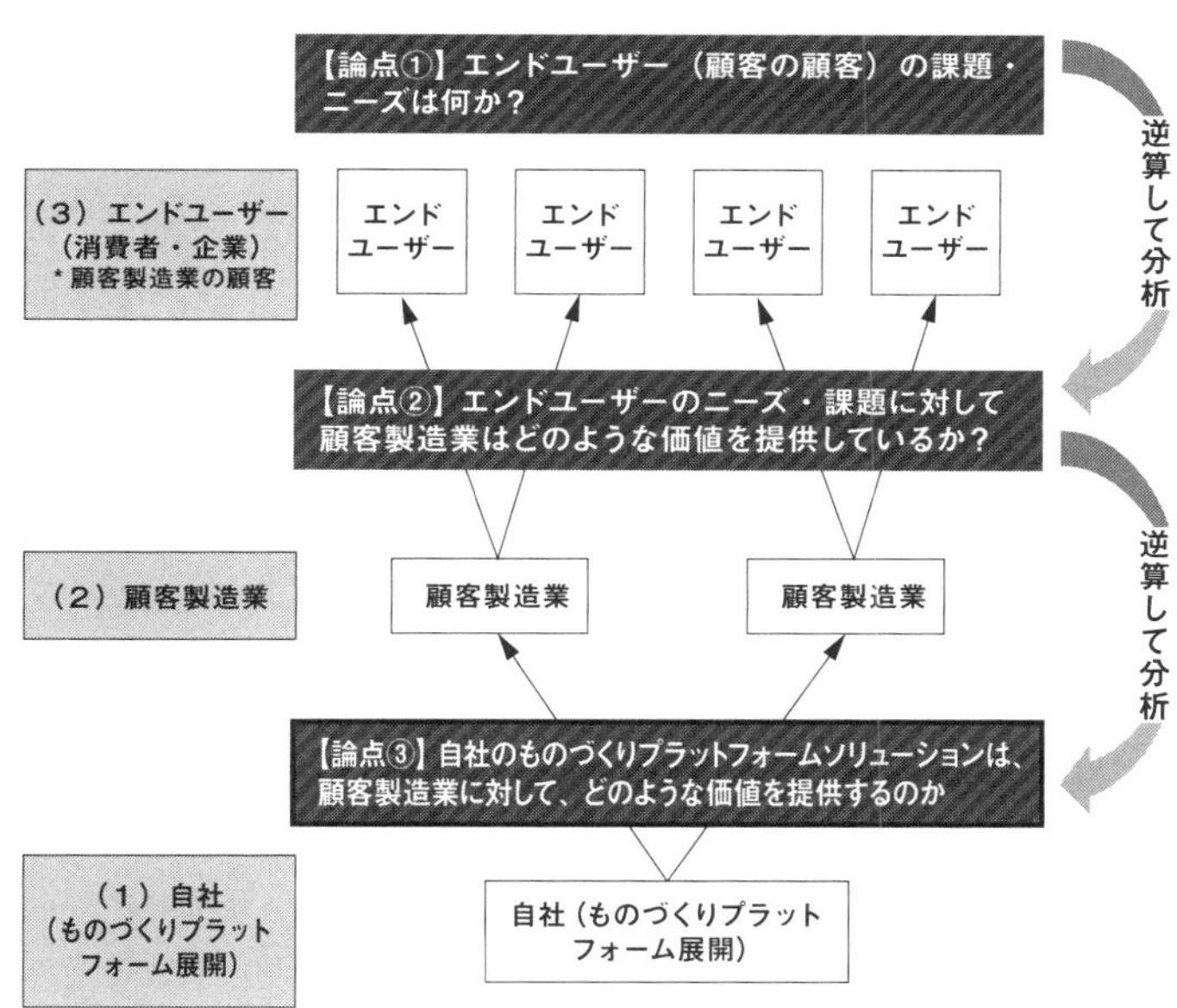

⑤その価値を具現化するソリューションはどのようなものか

④⑤の価値の方向性としては、大きく次の3つが存在する。この価値が後述の課金モデルの母数・原資になるため、これらをいかに最大化できるかが収益化においてカギとなる。

（1）売上・収益増……顧客の競争力向上に伴う受注増、新たなビジネス

モデル展開による機会増、生産性向上に伴う生産量増加
（2）コスト削減：顧客の工数・必要人員削減、設備停止など機会損失回避に伴うコスト削減、別手段投資の抑制
（3）数値外価値：顧客のトレーサビリティ確保、品質リスク低減、ブランド力向上、技能伝承・企業存続に貢献

課金モデル・単価設定

上記の価値ベースでの分析を踏まえて、ソリューションの課金モデル検討に移る。後述する従量課金、成果報酬型など、どの課金パターンを取るとしても共通しているのが、顧客に対して提供している価値が原資になるということである。

この原資をもとに、定額で課金をするべきか、成果報酬で課金をするべきか、従量課金を行うべきかの検討を行う。当然ながら、ソリューションが提供したメリット分をすべて課金できるわけではない。顧客側として収益が伸びた分、コストが削減できた分について、すべて徴収されてしまうとソリューションを活用する意味がないからである。

そのため、享受するメリット・提供価値の原資を、顧客と、ソリューション提供側で分け合う考え方となる。その割合はソリューションによっても異なるが、20％、33％、50％

図表63●価値ベースでの課金原資の分析（単価設定）

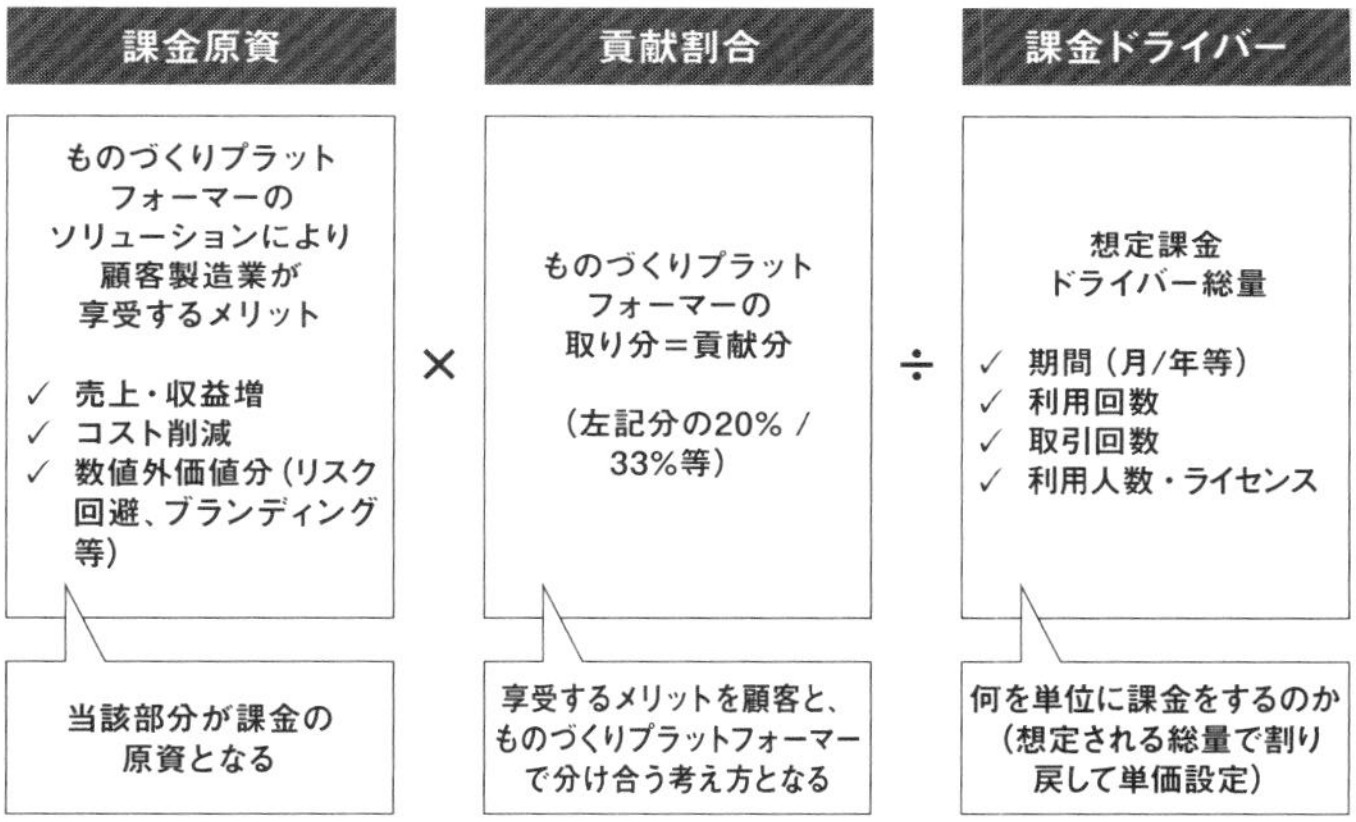

課金原資		貢献割合		課金ドライバー
ものづくりプラットフォーマーのソリューションにより顧客製造業が享受するメリット ✓ 売上・収益増 ✓ コスト削減 ✓ 数値外価値分（リスク回避、ブランディング等）	×	ものづくりプラットフォーマーの取り分＝貢献分 （左記分の20% / 33%等）	÷	想定課金ドライバー総量 ✓ 期間（月/年等） ✓ 利用回数 ✓ 取引回数 ✓ 利用人数・ライセンス
当該部分が課金の原資となる		享受するメリットを顧客と、ものづくりプラットフォーマーで分け合う考え方となる		何を単位に課金をするのか（想定される総量で割り戻して単価設定）

などの割合が設定される。ソリューション提供側としては、いかにこの割合を高められるか、価値・貢献分を認めてもらえるかの交渉がカギとなる（実際にはこれらの自社としてのロジックはすべて開示するというよりは、裏で落としどころとしてもっておきながら交渉を進める形となる）。

そのうえで、このソリューション提供型の想定取り分を、下記の課金パターンに応じて単位の総量をもとに割ることによって、単位ごとの想定単価を設定していく流れとなる。

たとえば提供できる価値が１００だとして、自社貢献割合が20％の場合は20がソリューション提供側の想定取り分となる。その20のうち、5年間での定額課金であれば年間あたり4となり、提供するソリューションを100回利用する想定であれば1回あたりの従量課金を0・2とする、などである。

ポイントはコストなどの提供者側の視点ではなく、徹底した顧客志向である。顧客への提供価値を突き詰めていき、ソリューションのあり方や、課金モデルを設定していく必要がある。

課金パターンの考え方

サービス型（as a service）の課金モデルとしては、以下のようなパターンが存在する。それぞれを顧客のビジネス特性や、課題、ソリューションの利用シーン・頻度などから選択し、顧客との交渉の中で設定していく形となる。

①定額課金

顧客企業から、月額などで定額の課金を行うモデルである。ソリューションの課金モデルの土台として設定されるケースも多く、固定費としての定額課金とともに、利用変動分の従量課金・成果報酬などを設定するケースが多い。

たとえば生産シェアリングプラットフォームにおいては、登録において定額課金が発生し、依頼—生産のマッチングが成立した時点で委託金額の一定程度を成果報酬として課金するといったモデルとなることも多い。

②従量課金（トランザクション課金）

ソリューションを利用した単位（時間、通信・データ量など）で課金を行うモデルである。

たとえばロボットメーカーのクカがロボット販売による収益ではなく、スマート工場を構築し、その利用で課金を行うSmart factory as a sericeを展開している。

第4章で紹介した、旧モデルのライセンス・製造ラインを新興国メーカーに提供し、利益の再回収を図るモデルにおいては、ラインの利用に対する課金を行うことが有効である。また、自社ノウハウを活かして搬送機器や仕組みを提供する際に、搬送した部品重量などで課金するといったケースも存在する。先述のとおり、顧客に対する提供価値を分析したうえで、収益につながる単価設定を行うことが肝となる。

③成果報酬課金

コスト削減や収益増加などのソリューションを通じた成果に対する一定割合を課金するモデルである。たとえば機器などの販売量ではなく、それによる人員コストやエネルギー削減結果といった「成果」が生まれた時点でその成果に見合った課金を行うモデルである。

生産技術を活かしてラインビルダー展開をする際には、ライン導入時点で収益を得るのではなく、当該ラインの生産量で課金をするといったケースも存在する。

このモデルで注意しなければならないのが、顧客にとっての直接的なベネフィットである成果に課金するため顧客としては受け入れやすいが、コスト削減効果などは一定規模で収束するため継続利用に至らない、ということである。そのため、継続利用を生み出す、つまり顧客として常にこのソリューションを活用するインセンティブが発生している状態にするためには、段階的に提供価値を引き上げ、成果の方向性をシフトしていく必要があるのだ。たとえばコスト削減から、売上拡大・ビジネスモデル変化などにシフトをしていく、といった方法である。

このモデルに限らず、ソリューション型で提供していく場合は、顧客とともにソリューション提供企業側も提供価値を常に進化させていかなければならないことに留意する必要がある。

④手数料課金

これはソリューションを通じて生まれたビジネス機会や取引に対して一定割合を課金するモデルである。たとえば、プラットフォームを通じて他社ソリューション・アプリを提供する際に、それらの売上に対する一定割合を課金する、といったやり方である。

多くの産業ＩｏＴプラットフォームにおいては、提供している第三者のアプリケーションの売上の一定割合に課金している。

その他、プラットフォームを通じて行われる物理的な取引に対する課金も有効な戦略となる。ハイアールのコスモプラットでは、マスカスタマイゼーションを実施する企業とサプライヤーとが接続しており、部品の調達・供給取引が当該プラットフォームを通じて行われている。同プラットフォームはマスカスタマイゼーションを実現するためのソフトウェア・ハードウェア導入も収益源ではあるが、最も大きいのは日々の膨大な調達取引に対する課金なのである。

ＢtoＢの場合はユーザー数を最大化することがＢtoＣと比較して難しく、デジタルサービスのみで収益を拡大することには限りがある。そうしたなかで、デジタルサービスをフックに、フィジカル領域でのビジネス取引などに課金を行う仕組みを構築することは、収益拡大の一手となるアプローチである。

ソリューションビジネスの「フックと回収源」の設計

ソリューションビジネスにおいては、より多くの顧客接点を確保し囲い込みにつなげる「フック」と、実際の収益源・回収エンジンとなる「回収源」の戦略的な振り分けが重要となる。ＢtoＣのデジタルサービスではユーザー数を膨大に増やし、会員費・サービスフィーやそれを土台とした広告費などで収益の規模を稼ぎ切るパターンを取ることが可能となる。そのため、プラットフォーム自体が、フックであり回収源でもある収益モデルを取ることができる。

しかし、ものづくりを支えるＢtoＢにおいては、産業や工程ごとにセグメント化されたソリューションとなるため、ＢtoＣと比較してユーザー数の爆発的な増大は見込めない。そのため、会員費やアプリケーション課金などのデジタルのみでは柱として企業を支える規模の収益を上げることは難しい。

その観点でも、デジタル技術・サービスをフックに、単価の高いフィジカルレイヤー（物理・実オペレーション世界）での回収点を持つことが重要となる。たとえば先述のハイアールのコスモプラットであれば、マスカスタマイゼーションに必要なハードウェア・ソフトウェアがフックであり、最大の収益回収源はそれをフックに接続された多数の企業がプラットフォーム上で行う物理的な調達取引に対する手数料である。

また、ある欧州大手産業ＩｏＴプラットフォームは低価格で展開しており、これ自体はフックとしてより多くの企業に展開され、グローバルでスケールすることを主眼においている。そのうえで、企業のさらなるデジタル化の手段としてのＰＬＭや、３Ｄシミュレーターなどの他ソフトウェアの展開で回収を図っている。

産業向けソリューションビジネスの回収源としては「手離れの良さ」と、「単価の高さ」の2点が重要となる。手離れの良さとは、外部インテグレーターや代理店などのパートナーが担いで展開を行ってくれるなど、自社が案件に直接関与せずとも収益をあげられる状態を意味する。収益性の観点から個別案件への自社関与は最小化することが重要であり、パートナーが担ぎやすい、競争力のある商材を生み出せるかどうかが成否を分ける。

加えて先述したように、ＢtoＢにおいてはプラットフォームそのものや、デジタルサービス自体は収益の「規模」としては柱になるものではない。先端企業を見ると、プラットフォームやデジタルサービスの接点を通じて、ハードウェアやソフトウェアなどの標準・高単価商材の展開、さらには物理的な取引の手数料課金などにつなげて回収を行うモデルを構築している。

まとめると、ソリューションビジネスにおいては、「高単価」となる標準的なハードウ

図表64●デジタルソリューションで重要となるフックと回収源の振り分け

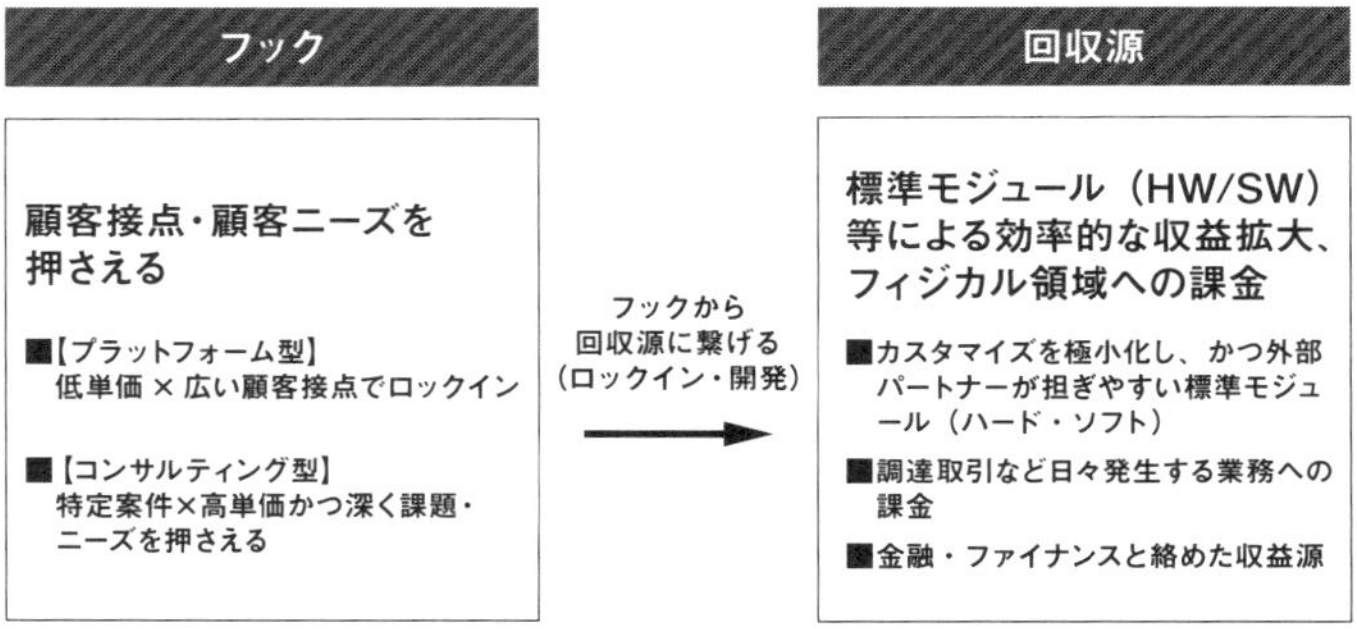

フック		回収源
顧客接点・顧客ニーズを押さえる ■【プラットフォーム型】 低単価 × 広い顧客接点でロックイン ■【コンサルティング型】 特定案件×高単価かつ深く課題・ニーズを押さえる	フックから回収源に繋げる（ロックイン・開発）→	**標準モジュール（HW/SW）等による効率的な収益拡大、フィジカル領域への課金** ■カスタマイズを極小化し、かつ外部パートナーが担ぎやすい標準モジュール（ハード・ソフト） ■調達取引など日々発生する業務への課金 ■金融・ファイナンスと絡めた収益源

ェア・ソフトウェアを、「手離れよく」パートナーを通じて効率的かつ自然発生的に展開して拡大する形が最も目指すべき勝ちパターンとなるのだ。

ポイントは後述する「深さ」と「広さ」の掛け算である。深さとは個別顧客の共創を通じた競争力のあるソリューション開発、広さとはそれを標準化したパートナーを通じた効率的な拡大である。

ただし、競争力のある標準的なソリューションを生み出すことは容易ではない、顧客の課題・ニーズを深く理解したうえで求められる標準商材を開発していくサイクルを回していく必要があるのだ。

その回収源を創出していくためにもフックが重要となる。フックのポイントは「顧客に深く」「継続的に」入り込み、ロックインを図ることである。その観点で見ると、単価が低くても広く接点を押さえ囲い込みを図れるプラットフォーム型や、複数案件を効率的にさばくことは難しいが顧客に深く入り込み課題・ニーズを押さえることができるコンサルティング型は重要なフックとなる。これらを効果的に組み合わせて競争力のあるビジネスモデルを設計することが肝要である。

3 ソリューション標準化機能と、コンサル型提案機能（論点⑥）

ものづくりプラットフォームとして製品を製造し販売する形から、他社へのソリューション型へモデルが移行するにあたり、いままでのオペレーション体制を大きく見直し、組織・チームとして新たな機能を持つ必要が生まれる。これらの必要となる機能のうち、大きな点が①ソリューション標準化機能と、②コンサル型提案機能、③エコシステム管理機能である。ここでは①②のそれぞれについて解説し、③は論点⑦で詳述する。

標準解と個別カスタマイズ解の2階建てに

先述のとおり、ソリューション展開にあたっては、「深さ」と「広さ」のバランスが最も重要となる。顧客の課題にもとづくソリューション開発を行う「深さ」とともに、特定顧客に寄り添いすぎず「標準・共通解」を設定する「広さ」も重要となる。

日本の製造業は個々の顧客に寄り添い、それぞれにカスタマイズした事業開発を強みにしている反面、それを標準ソリューションとして横展開することや効率的にパートナーを活用して拡大していくのが苦手な面がある。個別企業の課題に寄り添えば寄り添うほど、その個別企業の満足度は上がるものの、他企業・産業には当てはまらないニッチな商材となってしまい、拡大が難しくなる。

また、特定顧客に寄り添いすぎたソリューションは、担いで展開を行う外部パートナーがそれを解釈して、他社に展開することも難しくなる。その結果として収益性が悪化し、競争力を失うこととなるのだ。

グローバルでのプラットフォーム先行企業は、各社ともに「標準化」「ニーズの引き算」が成否を分けるポイントだと指摘している。彼らはコア顧客のニーズを下記の2階建てで分解して捉え、展開を検討しているのである。

図表65●ソリューションビジネスにおける2つのステージ「深さ」×「広さ」

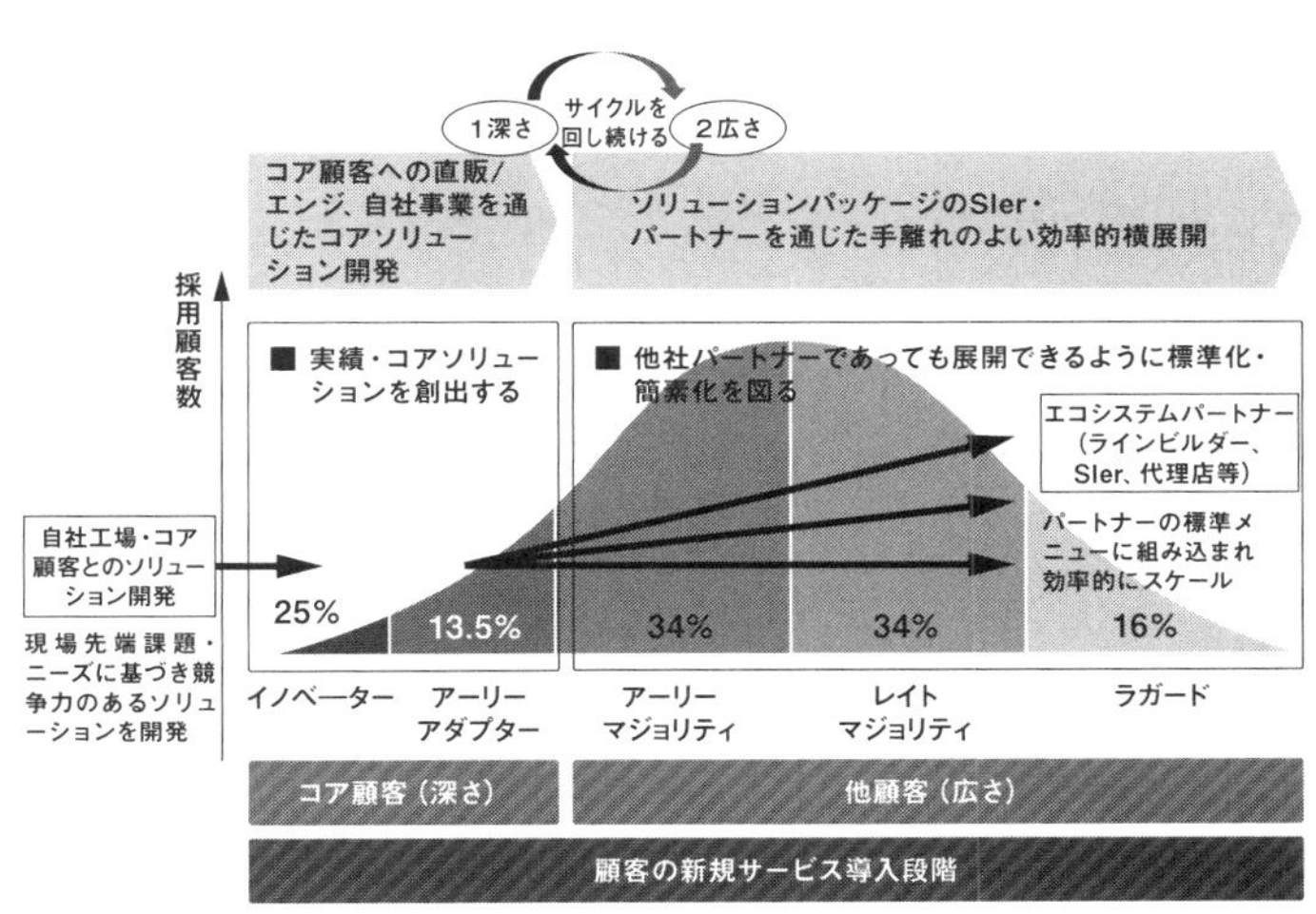

・【1階】標準解：コア顧客のみならず同業や他産業においても共通の課題であり、この課題を解決するソリューションを開発することで多くの企業に拡大できる。

・【2階】個別解：特定顧客の企業事情やニーズにもとづく課題であり、この課題に対するソリューションは他企業・業界で展開できず効率性が低い。

このうち標準解である【1階】は当然ながらリソースを投入して開発に注力する領域である。プラットフォーマーとして共通的に収益を得られる収益源となるためだ。そのうえで、【2階】は個別解となるため、効率的な拡大を主眼にするプラットフォーム企業としては避けたい領域となる。そのため、標準解はプラットフォーマーの共通ソリューションとして、個別解は個別顧客への導入を図るコンサルティング・インテグレーションを担うエコシステムパートナーの役割として、それぞれ分担を明確化することで個別対応をなるべく抑えるのである。

それとともに、顧客との要件交渉についても重要である。1階の標準解で拡大できると判断するソリューションについては、他社横展開を前提に価格を戦略的に下げて提示をする。将来の収益源として横展開による回収が見込めるため、ある程度価格を下げて、自社として先行投資を行ったとしても十分ペイするからだ。

そうすると、2階個別解部分も含めたカスタマイズ開発を行うことについて顧客側のメリットは相対的に低下し、1階部分のみで顧客側と合意を引き出すことができる。このようにグローバルで拡大するソリューションを生み出すうえでは、顧客課題・ニーズへの対応は横展開がどこまで可能で収益性があるのかの見定めと、それを踏まえた顧客との駆け引きや落としどころの探り合いも重要となるのだ。この点は顧客満足度の向上を重視しがちな日本企業としては、身に付けておきたい考え方である。

これらの動きを組織的に行っていくうえでも、組織・チームとして明確に「ソリューション標準化」のチームを置くことが重要である。事業立ち上げ段階などでリソースが足りない場合は、その観点に特化した会議やレビューのチェック項目として明記するといった代替手段も一案である。特定のコア顧客のニーズ・課題を検討するアカウント営業提案チームとともに、複数の顧客のニーズ・課題について1階と2階の分解を行い、標準解の見定めを行う機能が重要となる。

コア顧客からの引き合いがあると、組織・事業としては士気もあがり、得してその顧客への満足度最大化に向かいたくなる。しかし、そこは収益性の観点から個別解に寄り添いすぎていないかを適切に牽制し、標準ソリューション開発との両立を図ることが必要となる。

顧客に日々接している営業チームとしては利益相反が発生してしまうため、標準化の役割を取りづらい。そういった観点からも、標準化の機能は別にしておくべきであろう。先端企業においても、この標準化を見定める組織や人材がカギとなっており、エース人材を戦略的にローテーションさせて育成するなどの取り組みをしている。

顧客への付加価値を訴求するコンサル型提案機能

ソリューションの価値を顧客側へ訴求するためには、顧客側の経営者に対するコンサルティングや啓蒙も必要となる。特にものづくりプラットフォーム展開では、自前主義が多

図表66●ものづくりプラットフォーム企業がとるべきトップダウンアプローチ

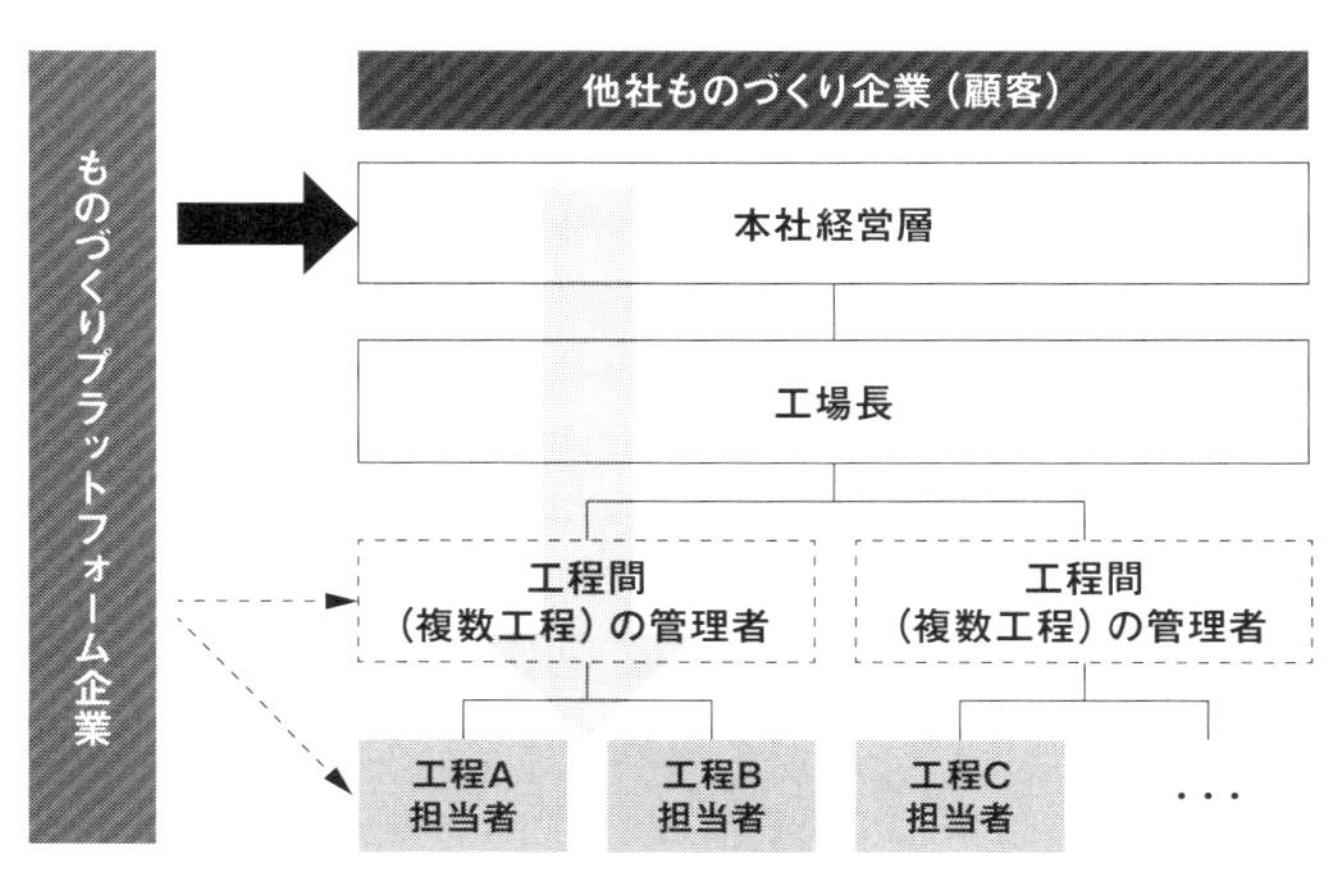

い顧客企業にとって、他社のノウハウ・技術をソリューションとして受けてオペレーションを行うという大きな変化となる。そのため、既存の枠組みを超えた検討が顧客側で必要となる。

このことからも、顧客の工場担当者や、事業担当者のみならず、経営者に対して訴求をしなければならない。産業向けのＩＴソリューション企業での先行事例では、顧客との打ち合わせにはエンジニア・担当者とともに経営者に必ず同席してもらうという。経営者にビジネスモデルや経営全体としてのインパクトをアピールし、顧客経営陣のトップダウンでの導入・受注を引き出しているのである。

これによって意思決定を迅速に進めるとともに、全社・組織横断としての取り組みに発展させている。その際に重要となるのがソリューションの提供価値の「経営目線」への転換である。

たとえば、個別の工程・オペレーションの効率性向上やコスト削減などをより俯瞰的にとらえ、経営目線での顧客価値について論点提示するのだ。顧客の経営課題や成長の実現、経営指標へのインパクト、ビジネスモデル変革への寄与も含めて、機能やコストだけではなく、価値ベースで認識してもらうことが重要なのである。

個別のコスト削減や、特定機能の補完のみをゴールとした提案では、その効果が実現した段階で継続的な活用の必要性が失われてしまう。自社サービスを段階的に導入していくことによる、顧客の経営・ビジネスの進化のステップ・段階を定義し、共同でステップアップを図っていくという、長期的な関係性を構築することが重要なのである。

この経営目線での価値訴求においてポイントとなるのは、言うまでもなく顧客の経営・ビジネス構造の理解である。

ソリューションの価値を経営目線に転換する例を以下に示す。ロボットメーカーなどのＦＡ（ファクトリーオートメーション）企業は、ものづくり経営コンサル化が求められている。ロボット活用や自動化などの自社商材の直接的なメリットを、経営者視点に置き換えてコンサルティングメニュー化しているのだ。以下のメニュー例から見て取れるように、自社商材のみではこの経営価値は実現しえない。そのため実現に必要なパートナーと共同でソリューション開発を行い展開していくのだ。

経営目線になっているかという観点で常に自社ソリューションを分析し、付加価値を向上させ続けることで、ものづくりプラットフォームとしての競争力の強化にもつなげていくことが重要である。

【FA企業による製造業経営コンサルメニュー展開例】
・ものづくり経営ダッシュボート：経営層のものづくり分野の意思決定に必要な情報を統合したダッシュボードの構想と、その情報整備に向けたライン・オペレーション改善、IoTの仕組み導入
・トレーサビリティ担保による外資顧客展開拡大支援：製造ラインの自動化・トレーサビリティ確保の仕組み提供を通じて、部品企業などの欧州顧客（取引にあたり製造プロセスのトレーサビリティを求められる）への受注拡大を支援する
・グローバルものづくり展開・工場オペレーション移転支援：マザー工場のノウハウ・

ラインの標準化と、それをもとにした効率的な海外拡大・ライン移転を通じたグローバル戦略の支援。どのラインを、どの国へ移転させるかの製造ノウハウ、現地技術レベルに応じたコンサルティング

・多品種少量生産、マスカスタマイゼーション：顧客の多品種少量生産体制、マスカスタマイゼーション化を支援し、顧客ビジネスモデルの変化、受注対応の高度化を支援

・筋肉質なものづくり体質化によるＣＦ最大・コスト最小化：ライン改善・製造オペレーション改善を通じた筋肉質な企業体質への転換（製造ラインのリーン化・自動化を通じたコスト最小化、中間在庫等を減らすライン構成によるＣＦ最大化など）

・生産技術能力・ノウハウ強化支援（常駐コンサル型）：生産技術に人員派遣・出向し、ユーザー企業内でライン設計・自動化を支援。その中で自社製品をアピールし有利なポジションを確保

・変化に対応したフレキシブル経営を支えるものづくり支援：需要・ビジネス環境の変化に応じたフレキシブルな経営意思決定（製造品変化／新規参入・顧客層変化などの意思決定）を支える柔軟な製造ライン（プラグ＆プレイ型ラインなど）支援

・レジリエンス・ＢＣＰ・コロナ対応支援：非接触・遠隔でのオペレーション支援と、サプライチェーン分断等不足事態へ対応できる製造オペレーション支援

第11章

アクション③

効率的に規模を拡大する

1 エコシステムを介した効率的なスケール（論点⑦）

エコシステムのプレーヤーたち

プラットフォームビジネスにおいては、いかに自社はコア領域に注力し、エコシステムを活用して効率的にスケールしていくかが重要となる。

日本の製造業は自前志向が強いことは前述のとおりであるが、ソリューション展開を進めるにあたっては、自社の資産・資源・顧客基盤・開発力が事業の限界になっているケースも多い。

特に、個別顧客の課題解決を図るアプリケーションの拡充や、顧客に対して初期のソリューション導入の提案を行うコンサルティング、さらには既存の事業やシステムとの統合などに関する人的資源やノウハウ・能力が自社では不足していることが多い。

一方、先行企業では「他社と組んでいかに有効なエコシステムを形成するのか」に注力をしている。図表68は主なＢtoＢ（企業向け）プラットフォームにおいて形成されるエコシステムの分類を記載している。

図表67●（3）いかに効率的にスケールするか

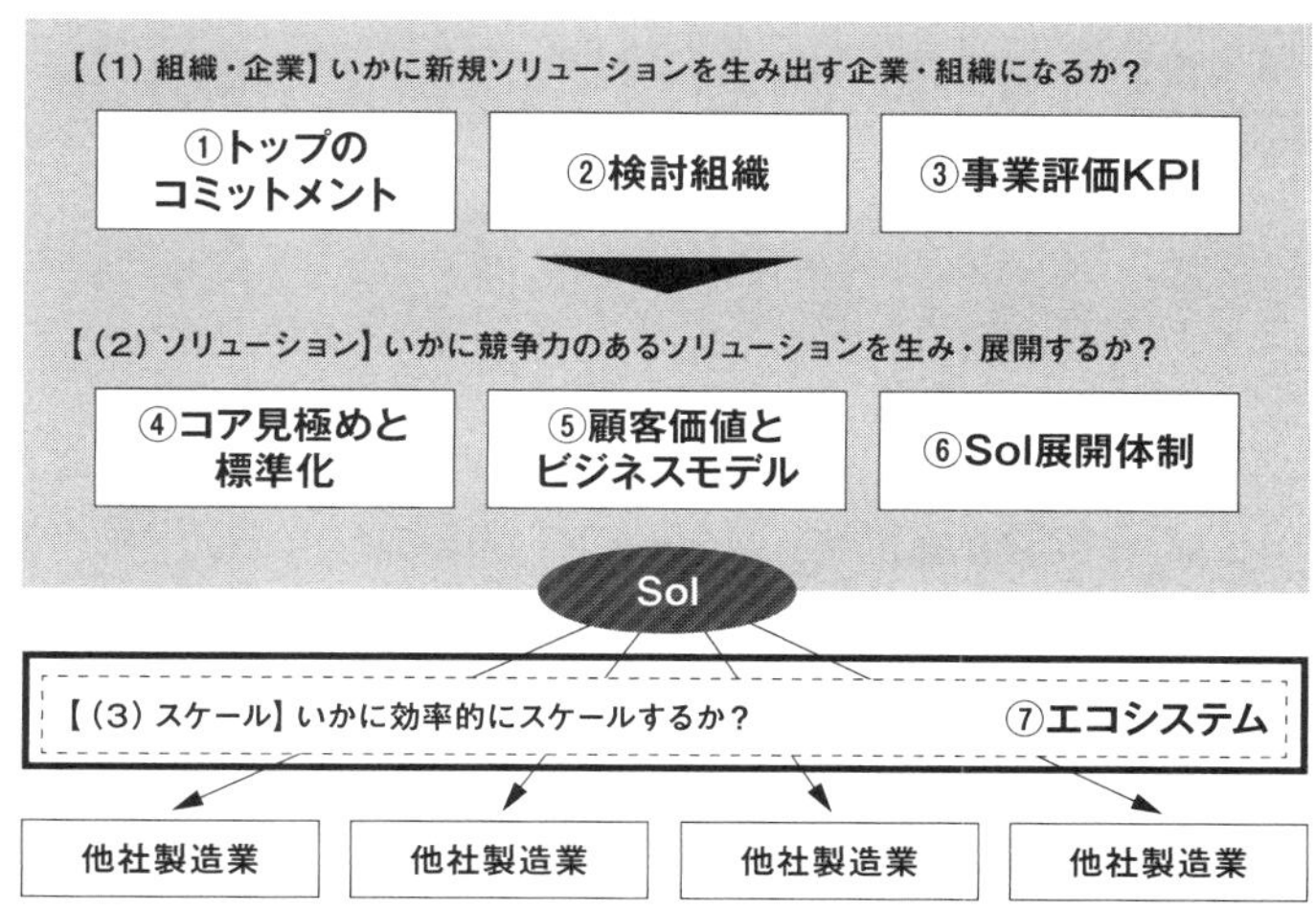

まず当然ながらプラットフォーマーの「①ユーザー（需要者）」がいる。プラットフォーマーとして提供価値を行う対象として設定した主体となることが多い。そのうえで、ユーザーに対して導入支援を行ったり、サービスを前提においたオペレーションを設計する「②コンサルティング・インテグレーションパートナー」が存在する。

プラットフォームに対してデータを蓄積するための「③接続ハードウエアパートナー」や、プラットフォーム機能をＡＩ・ＩｏＴ技術などによって高度化する「④テクノロジーパートナー」も重要な役割を果たす。

図表68●産業向けプラットフォームに必要となるエコシステム

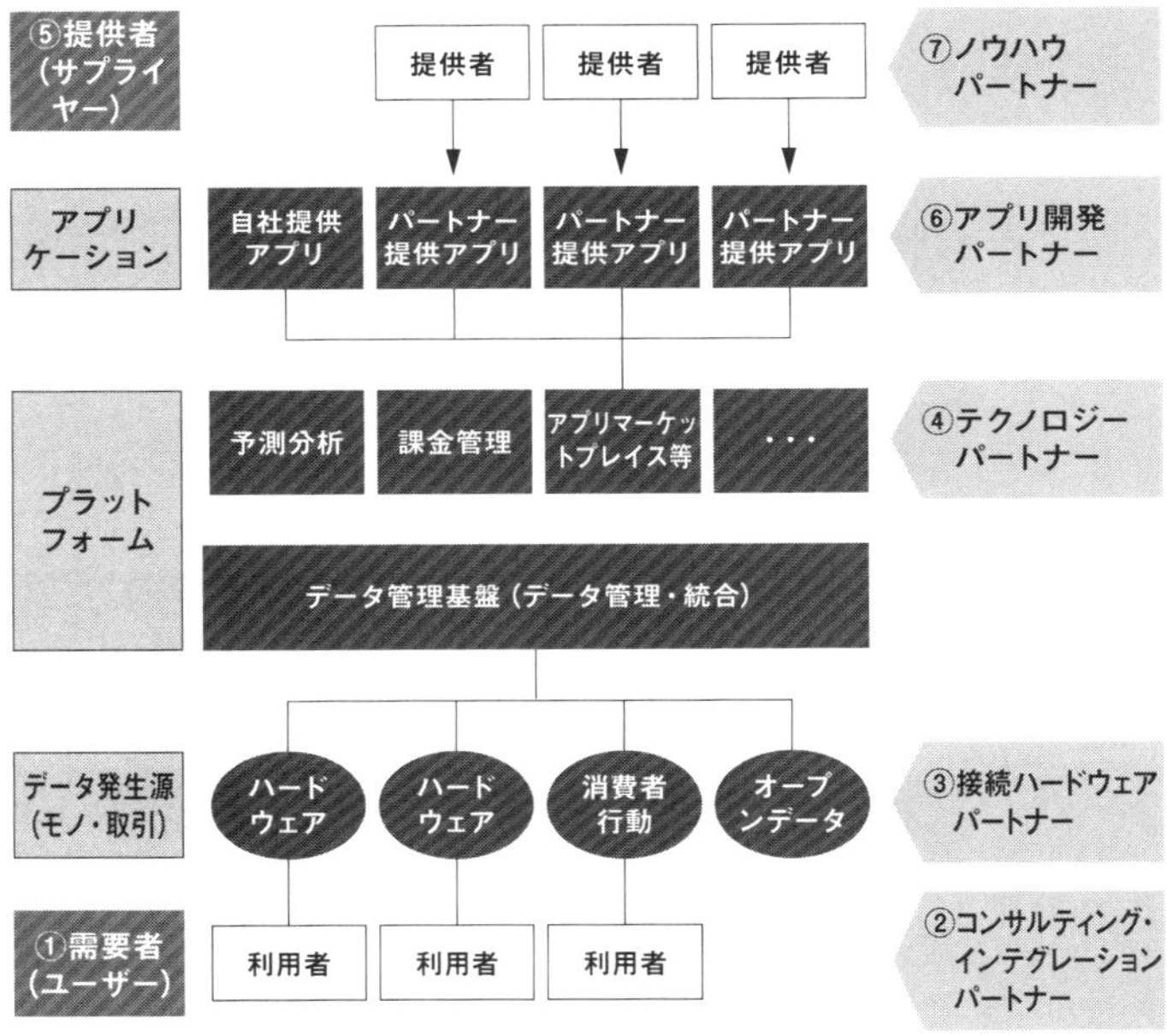

加えて重要となるのが蓄積されたデータをもとにユーザーに対してソリューションを提供する「⑤サプライヤー（提供者）」だ。サプライヤーは、アプリケーション開発能力を持つ「⑥アプリ開発パートナー」が行うケースもあれば、産業ノウハウや問題意識を持った「⑦ノウハウパートナー」と⑥が共同で行うこともある。IT開発力を持たない企業であっても、アプリケーションの構想や問題意識等を持っていれば、プラットフォームを介して⑥の紹介を受けて、⑦がアプリケーション展開することも可能だ。

自社のリソースのみで顧客に対するビジネス提供を行う場合は、自社のリソースが提供できるビジネスの上限になってしまう。しかしエコシステムを効果的に機能させることにより、そのビジネスのスケールとスピードは何倍にもできる。

マイクロソフトなどでは、自社の収益とエコシステムによる収益の基準を設定している。具体的には、自社の収益に対してエコシステムが9倍儲かることを基準としているのだ。エコシステムを栄えさせれば結果として自社収益を得られるという考え方が、いかに重要視されているかがわかる。

また、先行企業においては、エコシステムパートナーの活動を支援する部署が存在する。自社のコア領域と、非コア（パートナーに任せる）領域の明確化がなされ、組織・チームとしての機能分担を推進する仕組みが整備されているのだ。

ここではエコシステムのカテゴリー化と、それに応じて協働する想定エコシステムパートナーの事前設定が重要である。加えて、エコシステムのマネジメントをいかに設計し、エコシステムパートナーに対するインセンティブ設計をいかに行うのかの検討も不可欠である。

さらにエコシステム企業との収益分配の適切な仕組みを設計するとともに、エコシステムパートナーが顧客に対する提案を支援するツールを整備するなど、エコシステムにかかわる者が全体として活動しやすくするための仕組みの整備も求められる。

仲間づくりの3つのパターン

初期のエコシステムの形成・スケール方法、つまり仲間づくりの方法としては、主に下記の3つのパターンが存在する。

1つ目は自社拠点やコア顧客に対する案件提供をインセンティブにエコシステム形成を図るパターンである。これは自社工場を持つ製造業のものづくりプラットフォーマーとしては最も取りやすい形態である。

たとえば、ある欧州の産業IoTプラットフォームも同様の戦略でエコシステムを拡大している。自社工場や、自国自動車企業などのコア顧客での導入案件において連携を呼び

図表69●プラットフォーム立ち上げ期のエコシステム拡大の方向性

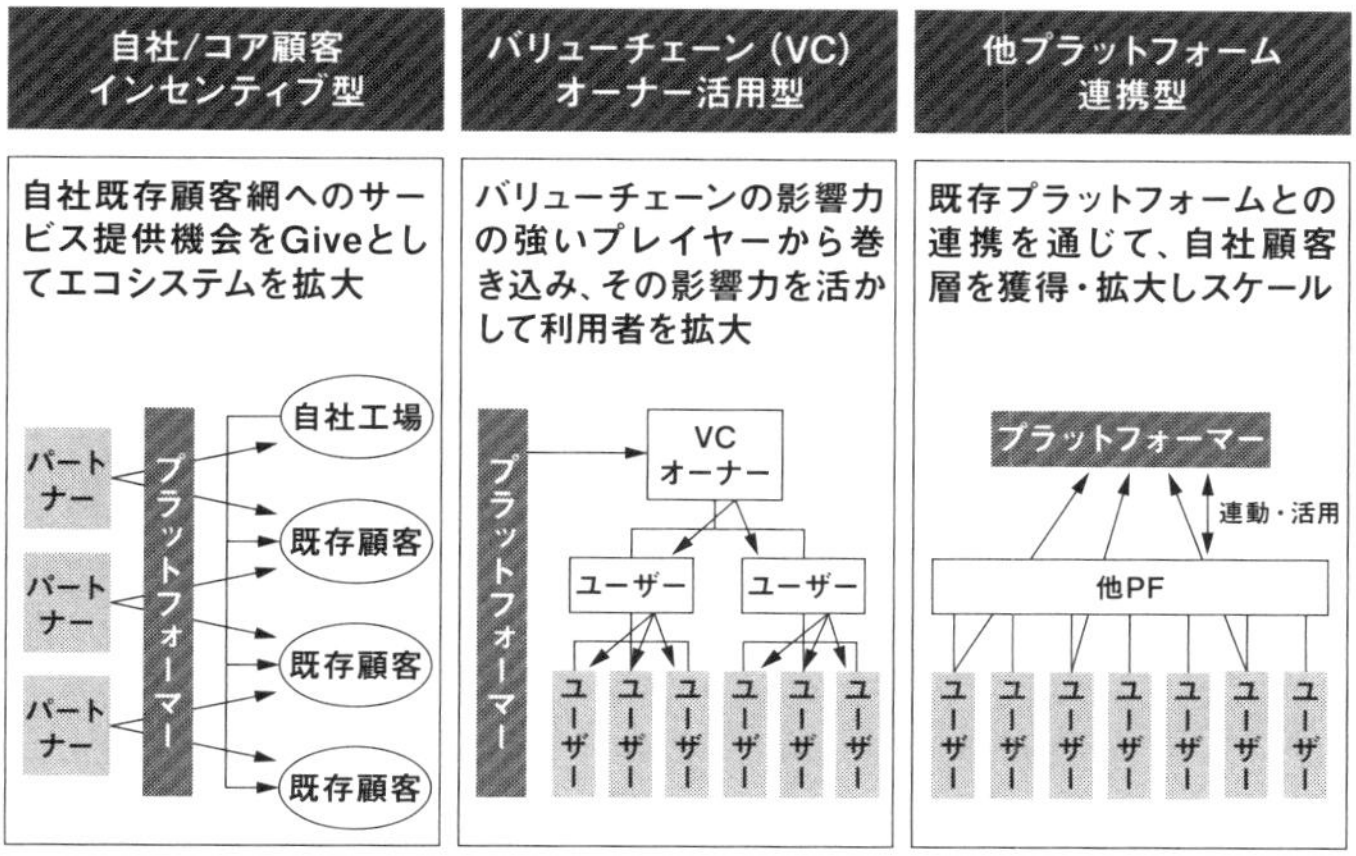

自社/コア顧客インセンティブ型	バリューチェーン（VC）オーナー活用型	他プラットフォーム連携型
自社既存顧客網へのサービス提供機会をGiveとしてエコシステムを拡大	バリューチェーンの影響力の強いプレイヤーから巻き込み、その影響力を活かして利用者を拡大	既存プラットフォームとの連携を通じて、自社顧客層を獲得・拡大しスケール

パートナー
パートナー
パートナー
プラットフォーマー
自社工場
既存顧客
既存顧客
既存顧客

プラットフォーマー
VCオーナー
ユーザー
ユーザー
ユーザー
ユーザー
ユーザー
ユーザー
ユーザー
ユーザー

プラットフォーマー
連動・活用
他PF
ユーザー
ユーザー
ユーザー
ユーザー
ユーザー
ユーザー
ユーザー

かけ、その案件を土台に自社プラットフォームのエコシステムに引き入れていったのだ。

2つ目がバリューチェーンオーナー活用型である。これは、バリューチェーンの影響力の強いプレイヤーから巻き込み、その影響力を活かしてエコシステムを拡大するアプローチである。これはデジタルケイレツや、トレーサビリティ系のプラットフォームなど、一定のユーザーやエコシステムが加入して初めて価値が出るプラットフォーム形態において有効である。

たとえばIBMが展開しているブロックチェーンを土台とした食

品トレーサビリティプラットフォームでは、細分化している食品加工企業ではなく、ウォルマートやカルフールなど影響力の大きい小売店を押さえ、そこから有力サプライヤーを経て、ユーザーを拡大している。同様に、デジタルケイレツや、生産シェアリングプラットフォームを展開するうえでは、完成品メーカーなど既存の調達関係をベースとしたケイレツやサプライチェーンの上流企業・オーナー企業からアプローチを行うことが有効となる。

3つ目が、すでに顧客やパートナー基盤を持つ既存プラットフォームと連携を行い、エコシステムを拡大していくケースである。産業プラットフォームが機能として持っているアプリの売り買いをするマーケットプレイスを通じてアプリケーションを展開することや、ネットワークを持っているソリューション企業とセットでクロスセルをしてもらうことなどが考えられる。

たとえば、先述の熟練工ＩｏＴプラットフォームにおいては、大手プラットフォーマーとして手薄となっているＩｏＴのアプリケーションを彼らの顧客基盤を通じて展開することでレバレッジを図ることも一手となる。

2 QCDからVPSへの競争軸変化

ものづくり領域においてプラットフォームビジネスが拡大するなかでは、競争軸の変化を捉えた事業戦略が必要となる。プラットフォームビジネスではエコシステム企業を活用した効率的なスケールが重要となる。その中で、競争軸が今までのQCD（品質・コスト・納期）から、VPS（価値・プラットフォーム・シナジー）へと変わってきている。

いままでは各企業が顧客接点やサプライチェーンをはじめとする「Q（品質）C（コスト）D（デリバリー）」を担い、ビジネスを提供してきた。しかし、プラットフォーム時代のビジネスにおいては、プラットフォーム企業が顧客との接点を持ち、そこから製品選択が行われる時代になってくる。いかに顧客にとっての価値（V）を、プラットフォームを活用（P）し、エコシステムとの連携・シナジー（S）によって提供するかが重要となる。

これまで見てきたように、デジタル技術に乗せる本質であるノウハウ・オペレーションは日本企業として強みを持っている領域であり、これらをデジタル化することによって新たな価値（V）へと昇華させることが重要である。

**図表70●プラットフォーム時代の競争軸変化
（QCDから、VPSへ）**

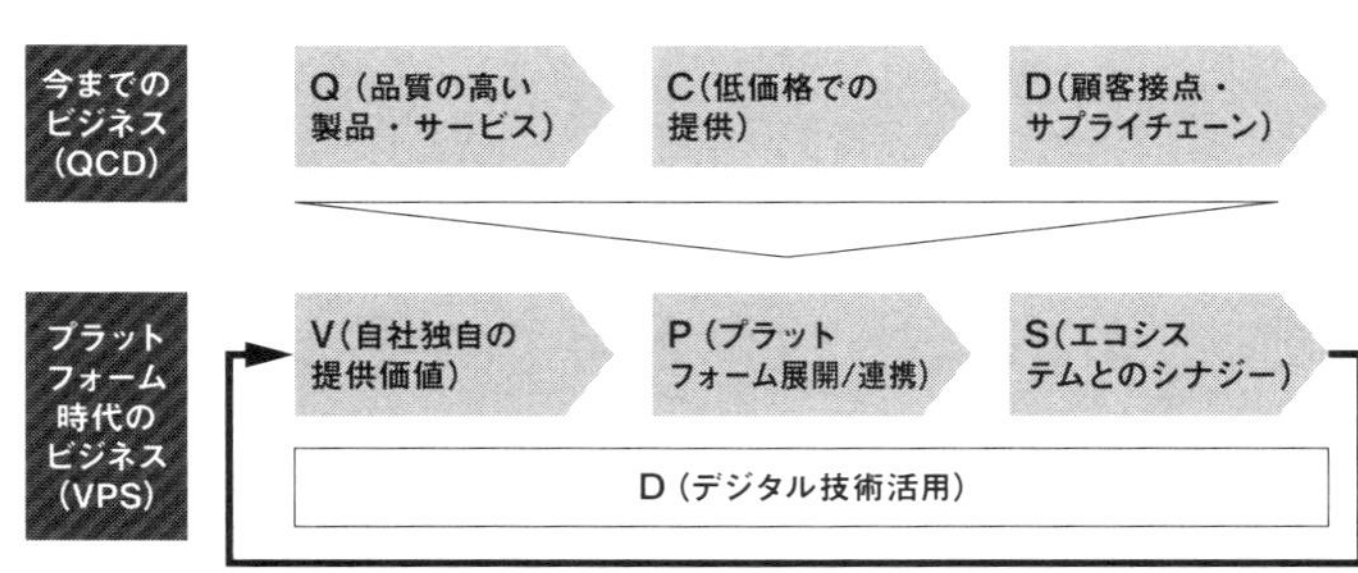

本書で繰り返し述べているとおり、先端企業が活用を進めているデジタル技術は日本が強みを持ってきたものづくりプロセスを効率的なツールとして仕組み化したものである。この本質としての価値に強みがあるにも関わらず、日本企業が競争力を失ってしまうことは非常にもったいない。これらの価値を自社だけでなく、エコシステム企業との連携のもと、効率的にものづくりプラットフォームとして展開していくことが期待される。

おわりに――ＤＸを契機に、ものづくりプラットフォーム戦略の推進を

ものづくりプラットフォーム展開にあたっては、自社製品の製造から、他社製造業支援へと、いままでの事業のあり方からの大きな転換が求められる。そのため、全社レベルでなぜものづくりプラットフォーム展開を行うのか、それに向けてどのような戦略・アクションを展開していく必要があるのかを社内で合意し、全社的に取り組んでいかなければならない。

デジタルトランスフォーメーション（ＤＸ）を契機にこれらの検討が積極的になされることが期待される。しかし、ＤＸという言葉を聞かない日はないほどに飛び交っている中で、ＤＸ自体が目的化してしまっているケースも見受けられる。本質は、デジタル技術の導入（Ｄ）ではなく、それらを活用した自社の経営・オペレーションの変革（Ｘ）である。そのためにも、自社が誰を顧客にどのような価値を提供する企業なのか、ありたいビジネスモデル・オペレーションをこれを契機に徹底的に議論し、その目的のためのＤＸ推進活動にしなければならない。

デジタル化が製造業にどのような変化をもたらしているのかを図71で整理しているが。

図表71●製造業のDXの方向性とものづくりプラットフォーム戦略の位置づけ

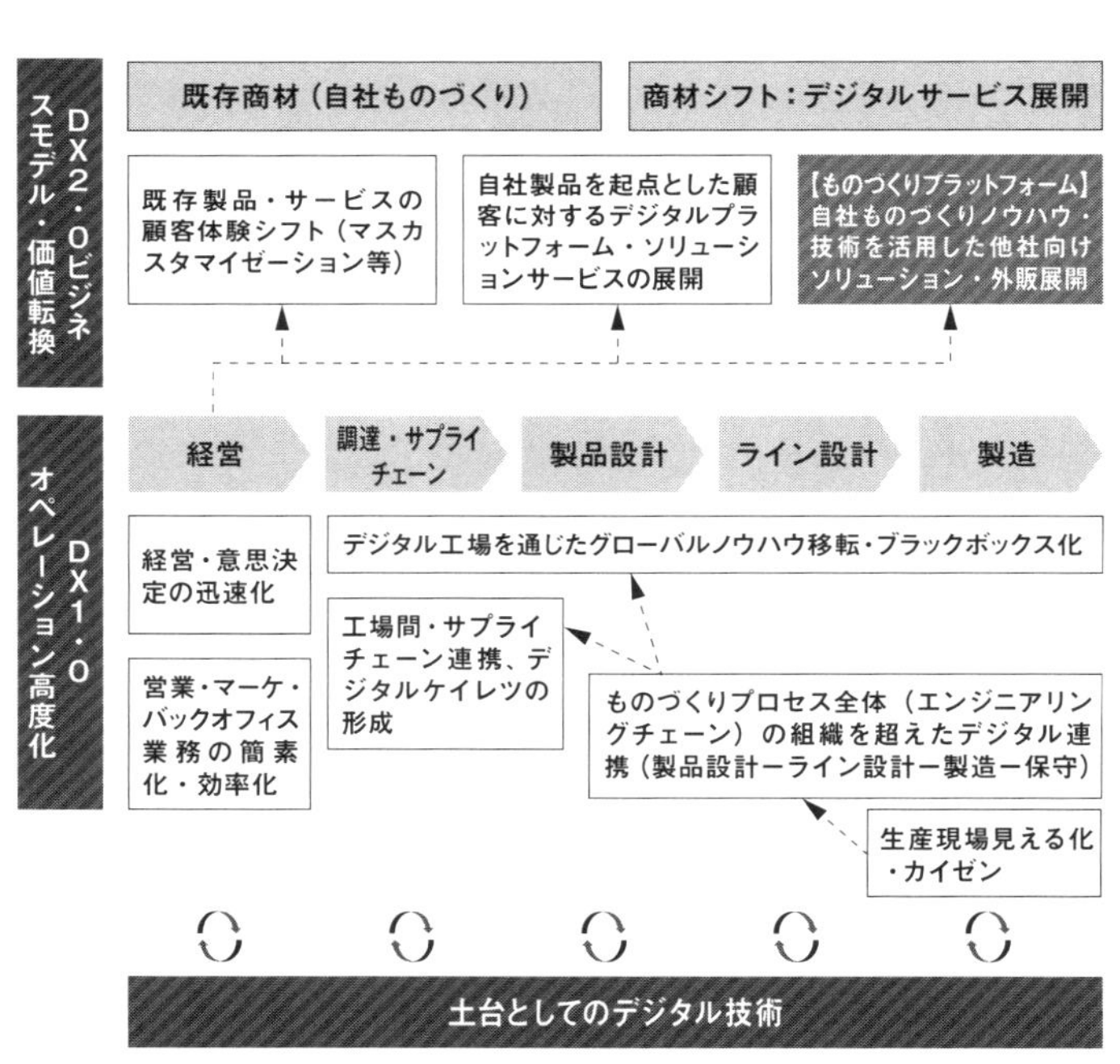

既存オペレーションの高度化・効率化をＤＸ１・０、新たなビジネスモデル構築をＤＸ２・０と大きく２つに分けている。製造業のデジタル化となると、まだまだ日本企業の認識としてはＤＸ１・０、その中でも特に生産現場の改善や、特定部門の定型業務の自動化のみに焦点が絞られているケースが多い。しかし、本書で触れてきたとおり、製造業のデジタル化のインパクトと、それに対する対応策はより広い範囲で捉えなおす必要がある。

本書のものづくりプラットフォーム戦略は、ＤＸ２・０のビジネスモデル・価値転換の目的の一つであり、経営・オペレーションの全体像の中で検討を進めなければならない。昨今のＤＸをきっかけとして起こっている全社議論をきっかけに、日本企業の強さを活かした「ものづくりプラットフォーム」戦略の検討が進むことが期待される。本書がデジタル時代の競争戦略に苦慮する日本企業にとって、少しでも一助になれば幸いである。

謝辞

本書はさまざまな方々のご支援のもとにできあがった。まず、本書の企画・編集・執筆をご支援頂き、著者以上に「ものづくりプラットフォーム」のコンセプトを信じ二人三脚で本の編集を担当した日経ＢＰの赤木裕介氏に感謝申し上げたい。そしてご多忙ななか、多くの企業の方々にヒアリングやディスカッションでご協力をいただいた。以下にお名前を記して謝意を表したい。

［取材にご協力頂いた方（企業名50音順）］

・ANSYS, inc. Senior Director, R&D - Digital Twin Sameer Kher様
・オートデスク株式会社　技術営業本部長 加藤久喜様
・株式会社シェアリングファクトリー 代表取締役社長 長谷川祐貴様
・ダッソー・システムズ株式会社　ＤＥＬＭＩＡ 事業部長 藤井宏樹様
・ＶＡＩＯ株式会社　取締役 執行役員常務 糸岡健様
・株式会社浜野製作所 代表取締役ＣＥＯ　浜野慶一様

・ＨＩＬＬＴＯＰ株式会社 常務取締役 山本勇輝様

［上記のほか、画像提供・原稿確認にご協力頂いた企業］

・オムロン株式会社
・川崎重工業株式会社
・ＫＵＫＡ Ｊａｐａｎ株式会社
・ＳＡＰジャパン株式会社
・シーメンス株式会社
・東芝エレベータ株式会社
・株式会社デンソー
・ＰＴＣジャパン株式会社
・富士通株式会社
・ボッシュ株式会社
・ボッシュ・レックスロス株式会社
・三菱電機株式会社
・武蔵精密工業株式会社

加えて、多くの弊社同僚や知人からも、内容にコメントをいただいたり、議論を通じて幅広いアイデア・視点を加えてもらった。特に松林一裕氏には企画段階から多くの意見やコメントをいただき、青嶋稔氏・疋田時久氏には取材先をご紹介いただくなど、多大な尽力をいただいた。ここに記して謝意を表したい。

［NRI社内で執筆にあたり協力頂いた方］（敬称略／50音順）

・青嶋稔、岩﨑はるな、岡﨑啓一、岡本智美、小池貴之、松林一裕、田中雄樹、重田幸生、佐藤修大、田中淳也、藤野直明、疋田時久、広瀬安彦、宮森一徳、ローレンスヘール スターリング

本書は数々の方のご協力がなければ実現し得るものではなかった。改めて、今回の企画においてご協力くださった方、出会った方との縁に御礼を申し上げるとともに、執筆中数々の協力をしてくれた妻と4歳の息子に感謝し、筆を置くこととしたい。

2021年9月

小宮 昌人

小宮昌人（こみや・まさひと）

野村総合研究所　グローバル製造業コンサルティング部コンサルタント

1989年生まれ。専門はプラットフォーム・リカーリング戦略等のデジタル技術を活用したビジネスモデル変革、IoT・インダストリー4.0対応支援、デジタルツイン、ロボティクス、イノベーション創出支援など。製造業/産業DX・インダストリー4.0対応・プラットフォーム戦略に関する論文・講演など多数。これらの領域における民間企業へのアドバイザリーや、国内外の省庁などとの連携を積極的に行っている。

共著に『日本型プラットフォームビジネス』（日本経済新聞出版）

製造業プラットフォーム戦略

2021年9月21日　第1版第1刷発行

著者　小宮昌人

発行者　村上広樹
発行　日経BP
発売　日経BPマーケティング
〒105-8308　東京都港区虎ノ門4-3-12
https://www.nikkeibp.co.jp/books/

編集　赤木裕介
装幀　梅田敏典デザイン事務所
本文DTP　朝日メディアインターナショナル
印刷・製本　シナノ印刷株式会社

ISBN978-4-296-00031-9
Printed in Japan

本書籍に関するお問い合わせ、ご連絡は下記にて承ります。
https://nkbp.jp/booksQA